Sven Stagge
Roman Sterzik

KeyboardClass

Gemeinsam Musik machen · Musik erfahren und verstehen

Schülerbuch 2

HELBLING

Innsbruck • Esslingen • Bern-Belp

Zu diesem Werk erhältlich:

- **Lehrerhandbuch 1** (mit App-Zugang und CD):
  S8740
  ISBN 978-3-86227-387-4 (neu)
  ISBN 978-3-9816534-1-0 (alt)
- **Schülerbuch 1** (mit App-Zugang):
  S8739
  ISBN 978-3-86227-386-7 (neu)
  ISBN 978-3-9816534-0-3 (alt)
- **Lehrerhandbuch 2** (mit App-Zugang und CD):
  S8742
  ISBN 978-3-86227-389-8 (neu)
  ISBN 978-3-9816534-3-4 (alt)

Impressum

Redaktion: Alexandra Nothacker
Foto: Arne Wahlers, Ottersberg
Notensatz: Sven Stagge, Hannover
Vokabelhilfen: Felix Maier, Hannover
Layout und Design: Arne Wahlers und Julian Hielscher, Ottersberg
Druck: Athesia Druck, Bozen

S8741
ISBN 978-3-86227-388-1 (neu)
ISBN 978-3-9816534-2-7 (alt)
2. Auflage A2[1] / 2019

Vorwort

Liebe Schülerinnen und Schüler, liebe Kolleginnen und Kollegen,

mit diesem neuen Musizierbuch präsentieren wir die Weiterführung der Keyboard*Class*. Auch für diesen Band haben wir wieder zahlreiche Hits, Evergreens und bekannte klassische Werke arrangiert.

Keyboard*Class* Band 2 baut systematisch auf den ersten Band auf. Die ersten Stücke sind zum Anwärmen gedacht, bevor es dann richtig losgeht. In diesem Buch werden neue Schwerpunkte gesetzt, z. B. bei der Vertiefung und Erweiterung der Stilistik, beim kreativen Spiel mit einer grafischen Partitur oder bei der Intensivierung des *Keyboard-Percussion*-Spiels. Die Drumset-Stimmen werden nun in Schlagzeugnotation dargestellt. Dieser Band erweitert den Umgang mit Klangfarben/Voices. So werden typische Spielweisen, z. B. das Gitarrenspiel auf der Tastatur oder auch das Registrieren während des Spiels systematisch trainiert.

Zum Mitsingen und Erarbeiten der Stücke wurden wie im ersten Band die Songtexte abgedruckt. Die Vokabelhilfen erleichtern das Textverständnis.

Besondere Highlights sind die Einbindung keyboardtypischer Spielhilfen, wie z. B. Pitch Bend, Arpeggiator, oder Live-Controller.

Am Ende des Bandes in der Rubrik Keyboard Masterclass sind umfangreichere Stücke zu finden, die anspruchsvoller arrangiert sind und sich besonders für Auftritte und Konzerte eignen.

Wir wünschen Ihnen und euch zahlreiche spannende Erfahrungen mit dem zweiten Schülerbuch der KeyboardClass.

Sven Stagge, Hannover   Roman Sterzik, Burgthann

Legende

Das **Solo** bzw. Solo-Arrangement enthält die Melodie und eine Begleitung für das solistische Spiel in keyboardtypischen Spielweisen: *Voice Play, Split Play* und *Style Play*. Diese beidhändige Version eignet sich insbesondere für den Instrumentalunterricht.

Das **Klassenensemble** enthält Begleitstimmen in ganz unterschiedlichen Schwierigkeitsgraden für das Spiel der gesamten Klasse im Musikunterricht. Ergänzt um die zeitgleich ablaufende Melodiestimme des Solo-Arrangements ergibt sich ein klangvolles Arrangement. Die Arrangements wurden, soweit nicht angegeben, von den Autoren erstellt.

Die **Workshops** enthalten Musizierideen sowie kreative Aufgaben zur Vorbereitung und Vertiefung der Spieltechniken und der musikalischen Zusammenhänge, z. B. Koordinationstraining in den Percussion-Workshops, Variations-, Improvisations- und Kompositionsideen u. a.

Schlagzeuginstrumente werden in Partituren häufig abgekürzt. Entsprechende Erläuterungen und Abkürzungen findest du auf den Seiten 12 und 13.

Registrierungshinweise über den Spielstücken:

Solo: Style Play

LH: ACMP (Fingered) • *RH:* RS Saw (Synth Lead) • *Style:* Worship (8 Beat) • *Tempo:* ♩ = 80 • *Software:* User 001, Bank 7/8

Die erste Registrierungsangabe bezieht sich auf Yamaha-Modelle. Der allgemeinere Begriff für Instrumente anderer Hersteller befindet sich in Klammern dahinter.

Inhaltsverzeichnis

Seite

Seite

Keyboard Masterclass

Clocks *Coldplay*

Text u. Musik: Berryman, Jonathan Buckland, William Champion, Chris Martin

Solo: Style / Split Play

1 *LH:* ACMP • *RH:* Piano • *Style:* British Pop Rock • *Tempo:* ♩ = 132 • *Software:* User 001, Bank 1/2
2 *LH:* ACMP • *RH:* Jazz Organ
3 *LH:* ACMP + Choir • *RH:* Dream Heaven (Bright Bell Pad)
4 *LH:* ACMP + Piano • *RH:* Dream Heaven (Bright Bell Pad)

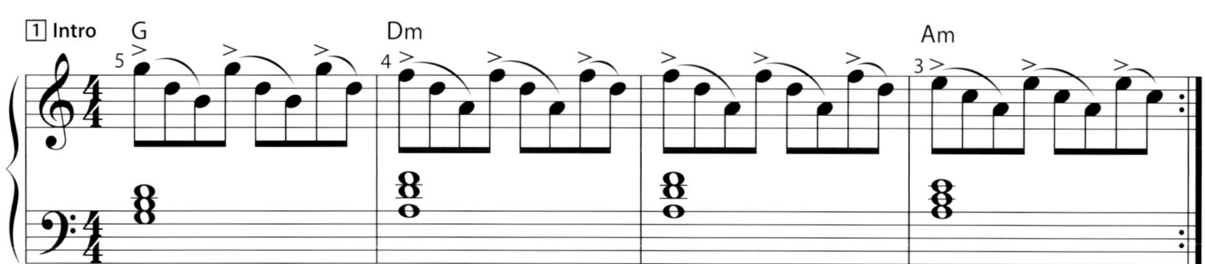

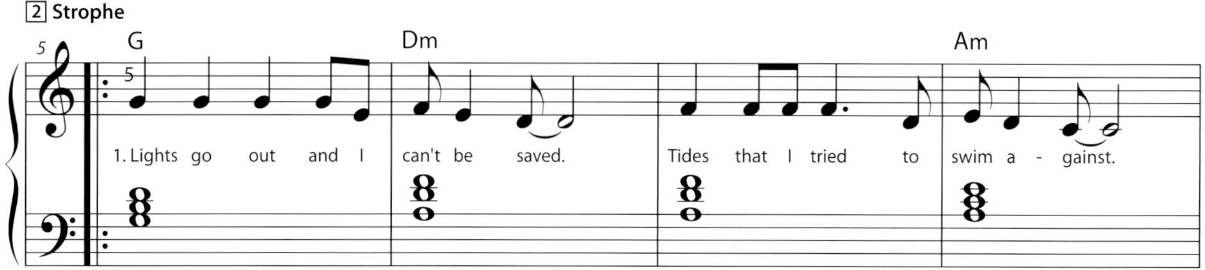

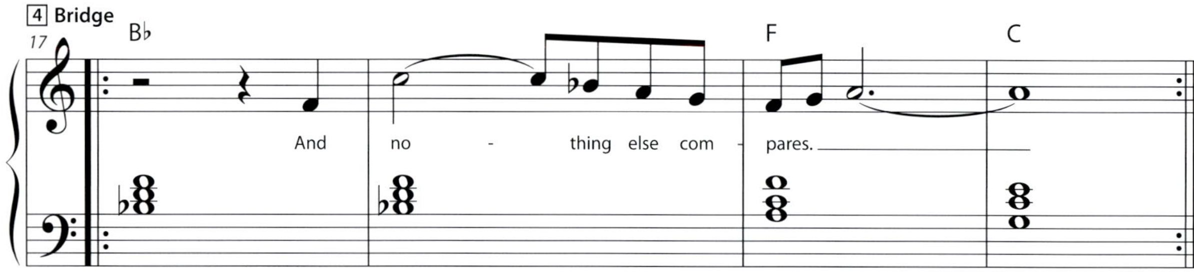

Repeat 2X

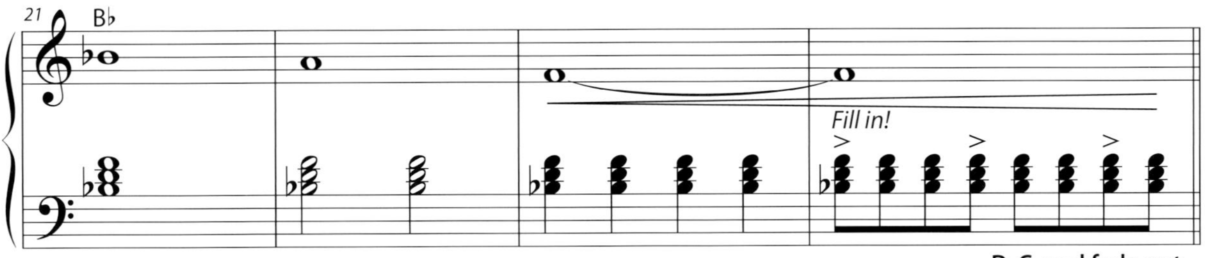

D. C. and fade out

Strophe 1 Fortsetzung
Come out of things unsaid,
shoot an apple off my head (and a)
trouble that can't be named,
a tiger's waiting to be tamed, singing:

Strophe 2
Confusion that never stops,
closing walls and ticking clocks, gonna
come back and take you home,
I could not stop but you now know, singing:

Come out upon my seas,
cursed missed opportunities, am I
a part of the cure?
Or I am a part of the disease, singing: You are...

Vokabeln

tides	*Gezeiten*	to tame	*zähmen*	to be part of something	*Teil von etwas sein*
to beg	*betteln, anflehen*	confusion	*Verwirrung*	cure	*Heilung(smittel)*
to plead	*bitten*	cursed	*verflucht*	disease	*Krankheit*
unsaid	*unausgesprochen*	to miss	*verpassen*		
trouble	*Sorge, Schwierigkeit*	opportunity	*Gelegenheit*		

Klassenensemble

Intro/Strophe/Refrain

G Dm Am

60s Clean Gt. / Strings

Repeat 7X

RS Analog Pad

Dynamic Chime I, II

Finger E-Bass

Room Kit HH SD BD

Pattern 1 (Strophe)

Pattern 2 (Intro / Refrain)

opt.

Intro/Str. Refrain

Piano (Intro/ Refrain)

Repeat 7X

Klassenensemble Seite 2

Bridge 17 — B♭ 8va — F — C — 21-24 B♭

Strgs.

Repeat 2X

Repeat 3X
D. C. and fade out

RS A-Pad

Piano I / II — simile

E-B. — simile

Pattern 3 (Bridge)

RC / SD / BD — 17 — 21-24 — simile

Bridge B♭ — F — C — B♭

Pno. — simile

Repeat 2X

Repeat 3X
D. C. and fade out

Workshop: Noten

1. Notiere die Noten in dem jeweils anderen Schlüssel und benenne sie!

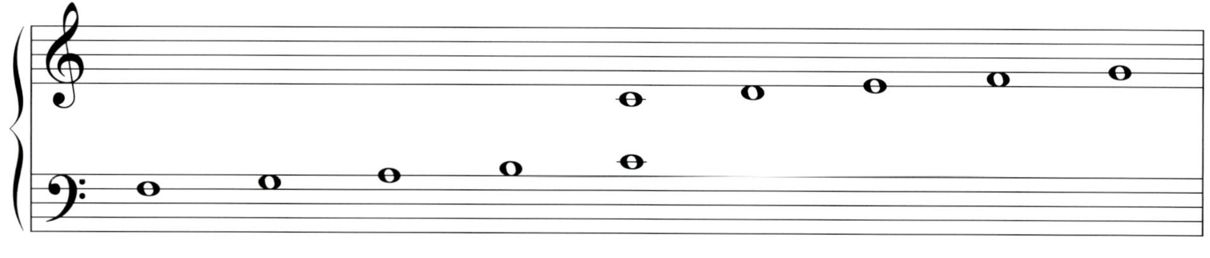

2. Benenne die folgenden Noten! Beachte dabei die Vor- und Versetzungszeichen sowie die Taktstriche.

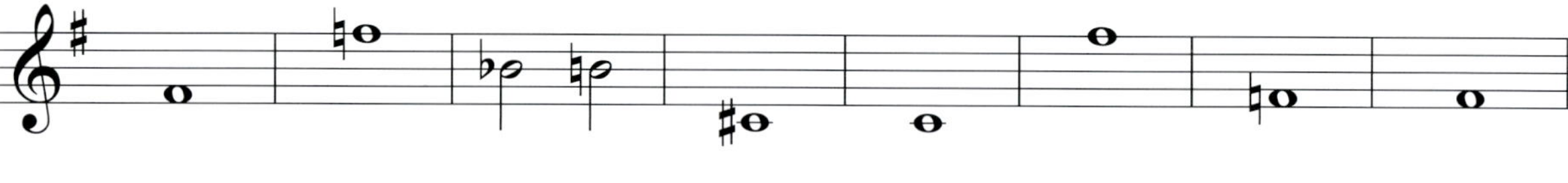

Workshop: Synkopen

In populärer und lateinamerikanischer Musik spielen **Synkopen** (griech. ‚Zusammenstoß') für den ‚Groove' eine besonders wichtige Rolle. Im Band 1 hast du z. B. bei den Titeln *Bad Moon Rising* und bei *Samba Lele* die Synkope bereits kennengelernt. Auch in diesem Band sind Synkopen in vielen Stücken zu finden.

1. Klopfe auf den Oberschenkeln mit der linken Hand einen durchgehenden Viertelrhythmus. Spiele/singe dazu den Strophenanfang von *Clocks* zunächst **ohne** und dann **mit** Synkopen.

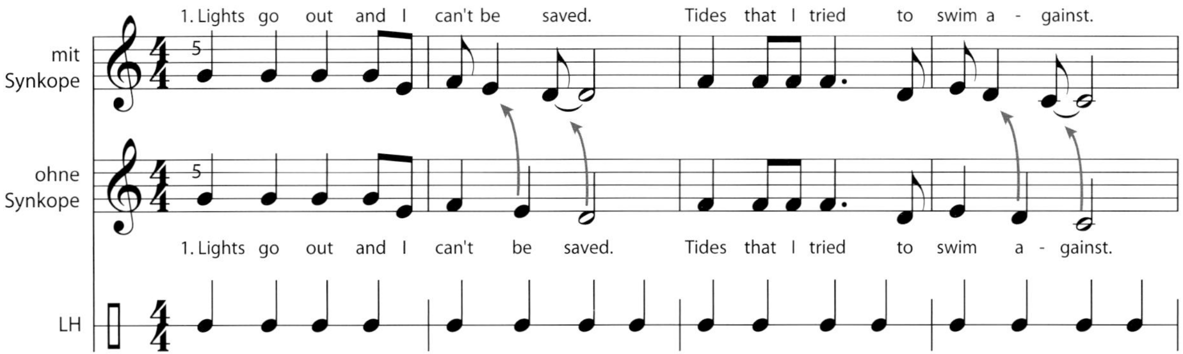

2. Beschreibe die unterschiedliche Wirkung der beiden Versionen.

3. Vervollständige den Merksatz. Verwende dazu die folgenden Worte: „Betonungen", „Synkope", „unbetont", „rhythmisch" und „vorgezogen" sowie zusätzlich deine Ergebnisse aus der vorherigen Aufgabe 2.

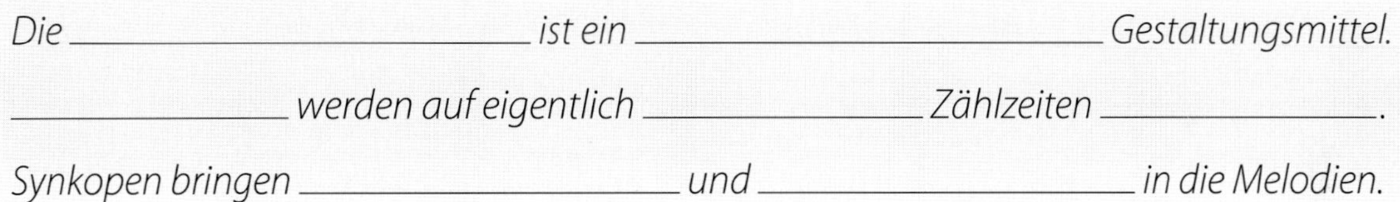

4. Spiele den folgenden Notenausschnitt, finde Synkopen und markiere diese farbig.

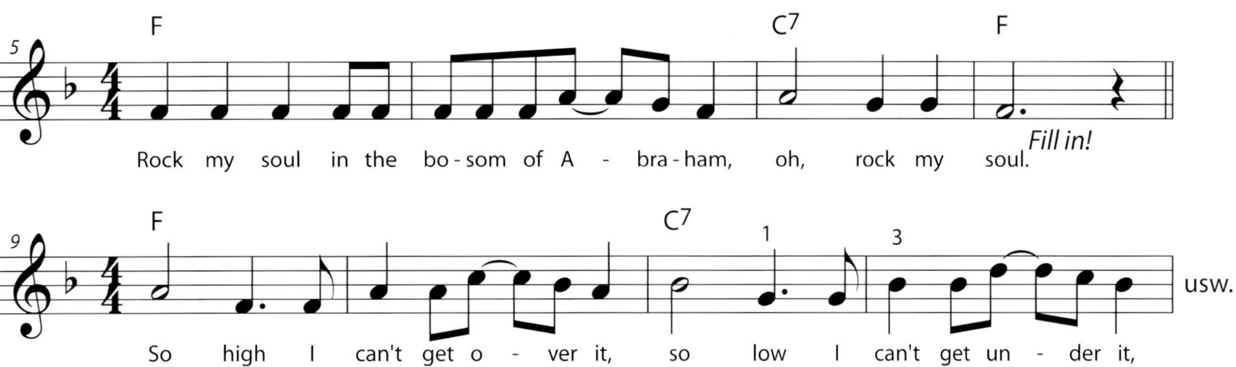

5. In dem Song *Me And Bobby McGee* auf Seite 10 singt Kris Kristofferson in verschiedenen Aufnahmen an ganz unterschiedlichen Stellen zahlreiche Synkopen, die in den Noten nicht notiert sind. Ray Charles interpretiert *Careless Love* auf Seite 22 noch freier. Höre die Original-Aufnahmen auf YouTube an. Füge den Melodien an einigen Stellen deine eigenen Synkopen hinzu und musiziere die Stücke in deiner Version.

6. Spiele den *Keyboard-Percussion-Parcours* [A] und [C] auf den Seiten 126 / 127.

Me And Bobby McGee

Kris Kristofferson, Fred Foster

Solo: Style Play

1 *LH:* ACMP • *RH:* Bright Piano | 2 *RH:* 60s Clean Guitar • *Style:* Country Pop • *Tempo:* ♩ = 140 • *Software:* User 001, Bank 3/4

1 Strophe

C
1. Bust - ed flat in Bat - on Rouge, ___ head - in' for the train,

5 C G7
feel - in' near - ly fad - ed as my jeans. ___

9 G7
Bob - by thumbed a die - sel down just be - fore it rained

13 G7 C
took us all the way to New Or - leans. ___ *Fill in!*

17 C
I took my har - poon out of my dirt - y red ban - da - na and was

21 C F
blow - in' sad while Bob - by sang the blues. With them

25 F C
wind - shield wi - pers slap - pin' time and Bob - by clap - pin' hands we fi - n'ly

29 G7 C
sang up ev - 'ry song that driv - er knew. ___ *Fill in!*

2 Refrain

33 F C
Free - dom's just an - oth - er word for noth - in' left to lose, ___

37 G7 C
noth - in' ain't worth noth - in', but it's free. ___
noth - in' left is all she left for me. ___ *Fill in!*

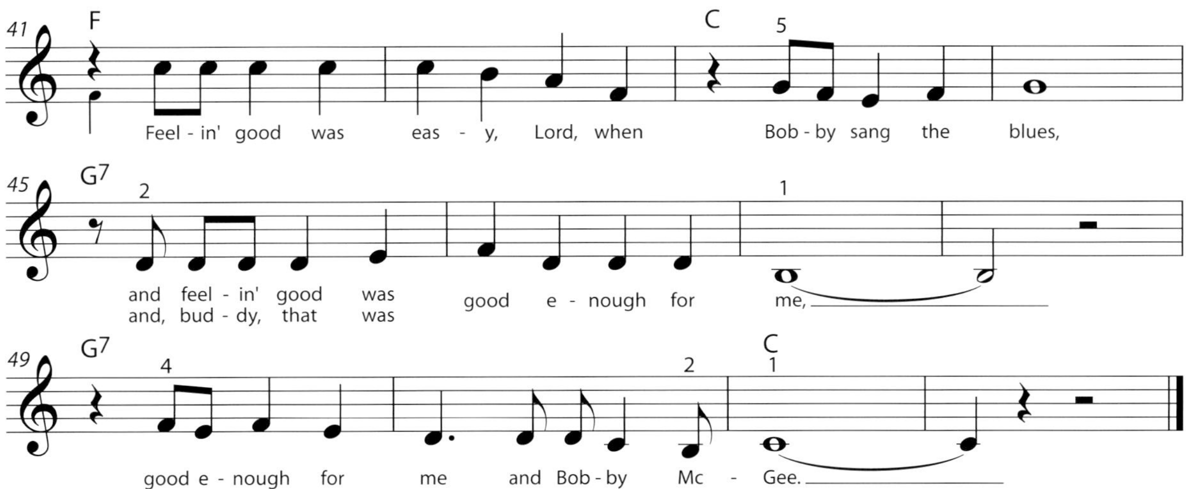

2. From the coal mines of Kentucky to the California sun,
Bobby shared the secrets of my soul.
Standin' right beside me, Lord, through ev'rything I done,
and ev'ry night she kept me from the cold.
Then somewhere near Salinas, Lord, I let it slip away,
lookin' for the home I hope she'll find.
And I'd trade all of my tomorrows for a single yesterday,
holding' Bobby's body close to mine.

Vokabeln

busted flat	*dreckige Wohnung*
Baton Rouge	*Hauptstadt v. Louisiana*
faded	*ausgeblichen, schäbig*
thumb down	*per Anhalter fahren*
diesel	*Truck*
New Orleans	*Stadt am Mississippi*
harpoon	*Mundharmonika*
bandana	*Kopf-/Halstuch*
to play soft	*leise spielen*
windshield wipers	*Scheibenwischer*
to slap time	*im Takt schlagen*
nothing left to lose	*nichts zu verlieren*
to be worth	*wert sein*
coal mines	*Kohlenbergwerk*
to share	*teilen*
to let so. slip away	*jmdn. entwischen lassen*
to trade	*eintauschen*

Klassenensemble

Im folgenden Klassenensemble findet ihr für Strophe und Refrain jeweils ein Pattern. Transponiert die Stimmen nach F- und G-Dur bzw. verwendet die passenden Akkorde für die Begleitung des Songs.

Workshop: Drumset und Keyboard Percussion

Populäre Songs werden sehr häufig von einem Schlagzeug oder Drumset begleitet. Das Drumset ist eines der wichtigsten Instrumente einer Band. Gemeinsam mit dem Bass bildet es häufig die rhythmische Basis eines Arrangements. Die Qualität des Schlagzeugspiels entscheidet oft über das Gelingen eines Auftritts.

Aufbau und Klang

Im Laufe der Zeit etablierte sich eine Kombination verschiedener Schlaginstrumente.
Zur heutigen Standardform gehören die kleine Trommel (Snare Drum), die große Trommel (Bass Drum), meist mehrere Toms (Hänge- und Stand-Toms), die Hi-Hat und verschiedene andere Becken (Ride, Crash, Splash Cymbals).

1. Beschrifte die abgebildeten Instrumente des Standard-Drumsets.

2. Schaue und höre dir bei einem Drumset die einzelnen Trommeln und Becken genau an.
Wie werden die *Bass Drum* und *Hi-Hat* gespielt, wie entsteht der rasselnde Klang der *Snare*, wie ergeben sich die unterschiedlichen Tonhöhen der *Toms*, warum klingen die *Cymbals (Becken)* so unterschiedlich, wie unterscheidet sich der Klang des *Ride Cymbal* am Rand und in der Mitte? Übernimm die folgende Tabelle in dein Heft und fülle sie aus.

Instrument	Klang	Spielweise
BASS DRUM	...	...

3. Vergleiche den Klang der o. g. Schlaginstrumente des Standard Drumsets mit einem anderen *Drum Kit* deines Keyboards, z. B. mit dem *Jazz* oder *Dance Kit*. Notiere Unterschiede!

Notation

Das Drumset wird gewöhnlich in einem Fünfliniensystem notiert, beginnend mit einem sog. neutralen oder **Schlagzeug-Schlüssel**. Die Tonhöhen im Notensystem entsprechen allerdings nicht der Verteilung der Instrumente auf der Tastatur. Die Instrumente wurden auf den Tasten so angeordnet, dass du sie gut spielen kannst.
In der Keyboard*Class* werden die Schlaginstrumente wie in dem folgenden **Drum Key** notiert.

4. Ergänze im folgenden *Drum Key* die Namen der dazugehörigen Keyboardtasten, z. B. BD: *Bass Drum* (c).

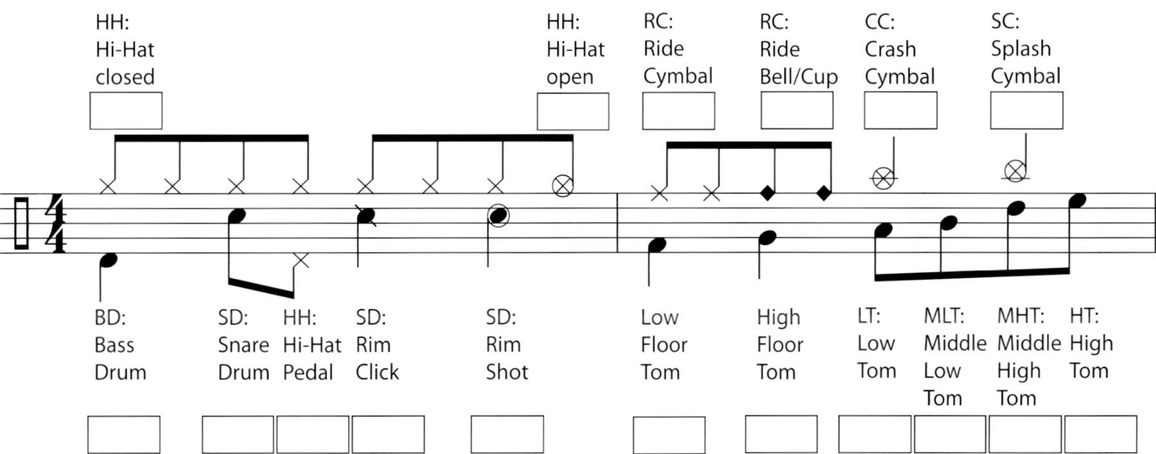

5. Benenne die Unterschiede bzgl. Bauweise und Klang der Instrumente, die mit runden oder mit Kreuz-Notenköpfen notiert werden.

Runde Notenköpfe	Kreuznotenköpfe

Spielpraxis und musikalische Rolle

6. Übertrage die jeweiligen *Keyboard-Percussion*-Patterns deiner Spielstücke auf ein Drumset. *Bodypercussion* ist dazu eine gute Vorübung. Spiele einige leichtere Patterns, indem du die *Bass Drum* mit der rechten Fußspitze auf dem Boden, die *Snare Drum* mit der linken Hand auf dem Oberschenkel und die *Hi-Hat* mit der rechten Hand (mit einem Stift auf dem Tisch) musizierst.

7. Untersuche bei den Stücken z. B. *Clocks* auf den Seiten 7/8, *We Will Rock You* auf Seite 19 und *Pick A Bale Of Cotton* auf Seite 31 den musikalischen Zusammenhang zwischen den Rhythmusgruppen-Instrumenten. Schreibe das Ergebnis in dein Heft.

8. Warum ist das Schlagzeug für das Bandspiel musikalisch wichtig? Überlege dabei auch, warum man beim Aufbau eines Klassenensembles gewöhnlich mit dem Drumset beginnt? Schreibe das Ergebnis in dein Heft.

Amen *Gospel, Traditional*

Solo: Style Play

1 *LH:* ACMP + Choir • *RH:* Choir | 2 *RH:* Click Organ • *Style:* Country Swing • *Tempo:* ♩ = 117 • *Software:* User 001, Bank 5/6

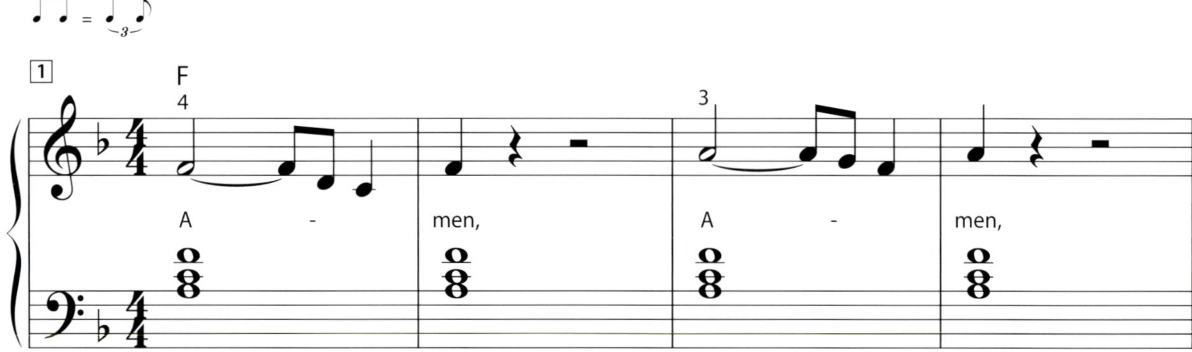

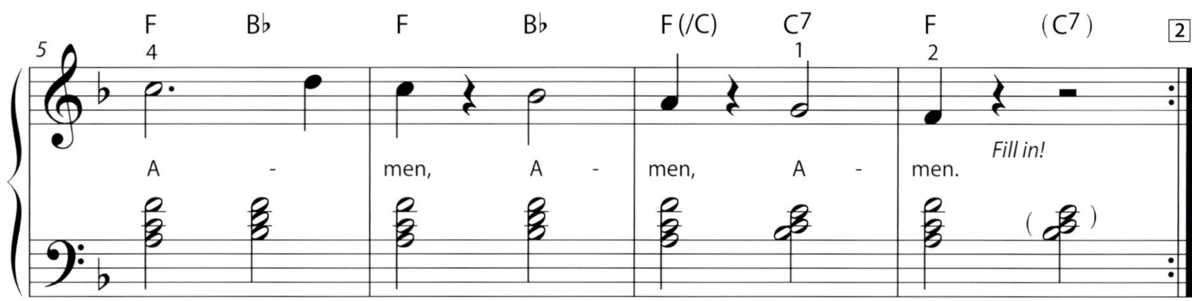

Workshop: Variationen Lead-Stimme

Variiere die Lead-Stimme und notiere deine Version.

Vokabeln

to lie	*liegen*	preach	*predigen*	savior	*Retter*
manger	*Krippe*	heal	*heilen*	rose on easter	*an Ostern auferstehen*
elders	*Ältestenrat/Schriftgelehrten*	feeble	*schwach*	kingdom	*Königreich*
marvelled at his wisdom	*erstaunt über seine Weisheit*	deepest sorrow	*größte Sorgen*		

Klassenensemble

Tenor Sax — Response: ly - ing in a man - ger / and he was born on Christ - mas mor - ning.

Choir — Call

Finger E-Bass

Jazz Kit — Pattern 1, Pattern 2

Piano

F Bb F Bb F (/C) C7 F (C7)

TSax — 1. See the lit - tle ba - by

Ch.

E-B.

Dr. — Pattern 3, Pattern 4

Pno. — F Bb F Bb F/C C7 F

2. See him in the temple, talking to the elders, how they marvelled at his wisdom.

3. See him at the seaside, preaching and healing, to the blind and the feeble.

4. See him in the garden, praying to his father, in deepest sorrow.

5. Yes, he is my Savior, Jesus died to save us and he rose on Easter.

6. Halleluja in the Kingdom with my savior, Amen.

Workshop: Melodieverlauf

Beim Spiel einer Melodie hat man wie bei der Benutzung einer Treppe genau drei **Richtungsmöglichkeiten**, und zwar aufwärts, abwärts oder verweilend auf einem Ton. Man unterscheidet dabei drei Arten **Melodieverlauf**s, und zwar Tonwiederholung, Tonsprung oder Tonschritt.

Wenn man nach oben oder unten schreitet, spricht man von einem:

____

Wenn man eine oder mehrere Stufen auslässt bzw. überspringt, spricht man von einem:

____

Das mehrfache Spielen eines Tons nennt man:

____

Spiele und singe die folgenden Melodieausschnitte und untersuche sie bzgl. ihrer Melodiebewegungen.

Reggae For My Soul *(vgl. Seite 24)*

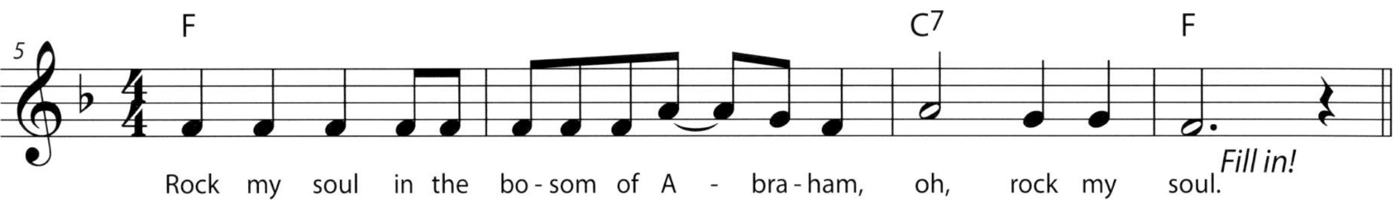

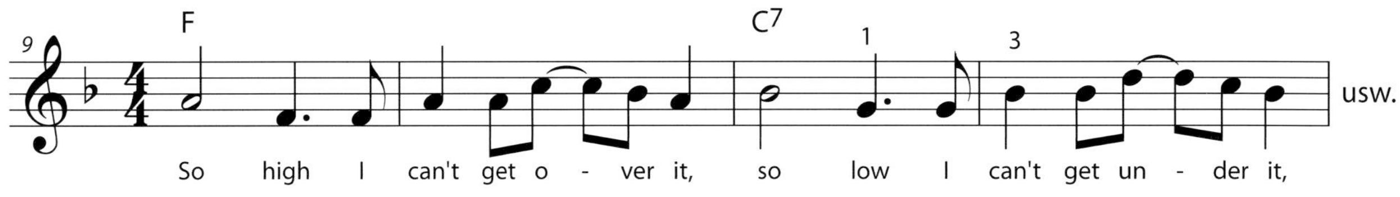

The Black Pearl *(vgl. Seite 96)*

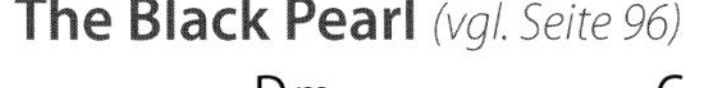

Workshop: Sechzehntelnoten

Viertelnoten lassen sich noch weiter unterteilen. Zwei Achtel- oder vier **Sechzehntelnoten** entsprechen dem Notenwert einer Viertelnote. Notiert man einzelne Sechzehntel, verwendet man wie bei Achtelnoten Fähnchen. Mehrere Sechzehntel nacheinander kann man mit Balken verbinden, um das Lesen zu erleichtern.

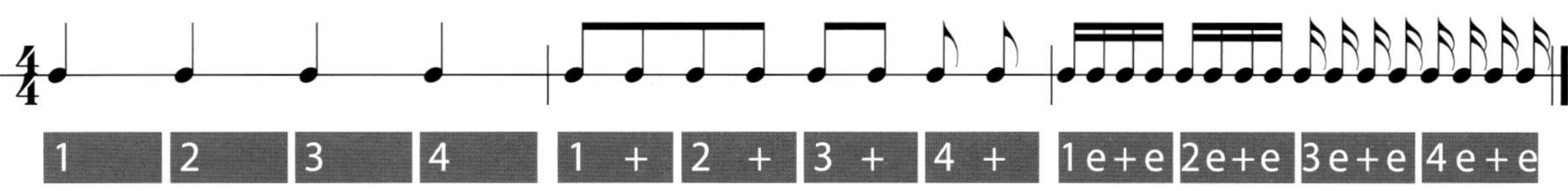

Notendauer / Zählweise

1. Addiere die Notenwerte und notiere das jeweilige Ergebnis als einen Notenwert in die leeren Kästchen!

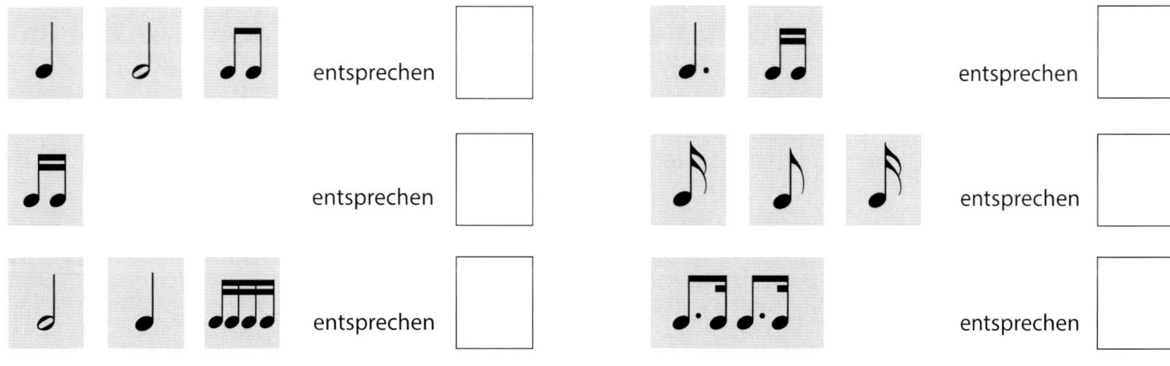

2. Erfinde sechs ähnliche Aufgaben für deine Nachbarin / für deinen Nachbarn.

3. Vervollständige die Takte mit Sechzehntelnoten!

4. Benenne die Noten- und Pausenwerte im *Music Theory Summit* auf Seite 130.

5. Spiele den *Keyboard-Percussion-Parcours* F auf Seite 128.

We Will Rock You *B. May*

Solo: Voice / Split Play

[1] *LH/RH:* Rock Kit • *Tempo:* 𝅗𝅥 = 70 • *Software:* User 001, Bank 7/8
[2] *LH:* Overdrive Guitar • *RH:* Overdrive Guitar • *Style:* Hard Rock 1 (Straight Rock)
[3] *LH:* Overdrive Guitar • *RH:* Distortion Guitar • *Style:* Hard Rock 2 (Straight Rock)

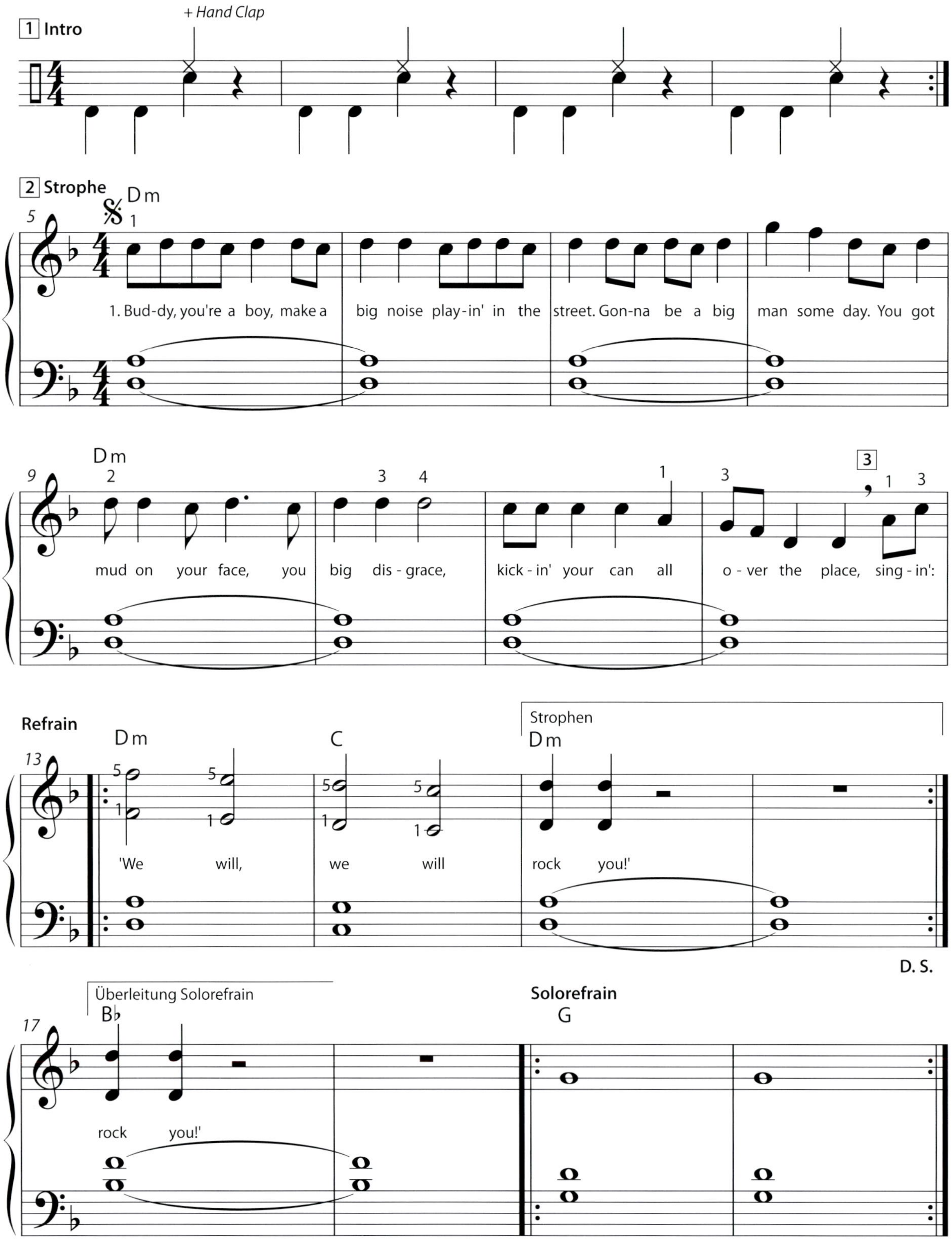

[1] Intro

+ Hand Clap

[2] Strophe

Dm

1. Bud-dy, you're a boy, make a big noise play-in' in the street. Gon-na be a big man some day. You got

Dm

mud on your face, you big dis-grace, kick-in' your can all o-ver the place, sing-in':

[3]

Refrain

Dm C

'We will, we will

Strophen

Dm

rock you!'

D. S.

Überleitung Solorefrain

B♭

rock you!'

Solorefrain

G

Repeat ad libitum

2. Buddy, you're a young man,
hard man shoutin' in the street,
gonna take on the world someday.
You got blood on your face, you big disgrace
wavin' your banner all over the place,
singin': 'We will ...

(3. Buddy, you're an old man,
poor man pleadin' with your eyes,
gonna make you some peace someday.
You got mud on your face, you big disgrace
Somebody better put you back into your place,
singin': 'We will ...)

Vokabeln

noise	*Lärm*	to kick	*treten*	blood	*Blut*
mud	*Schmutz, Matsch*	to rock	*schaukeln, „rocken"*	poor	*arm*
disgrace	*Schande*	to shout	*rufen, schreien*	to plead	*flehen*

Aufgabe: Benenne die Noten im *Music Theory Summit* auf Seite 130 (Zeile 2).

Klassenensemble

Verwendet die passenden Akkorde für die Begleitung von Strophe und Refrain.

Pattern Strophe/Refrain

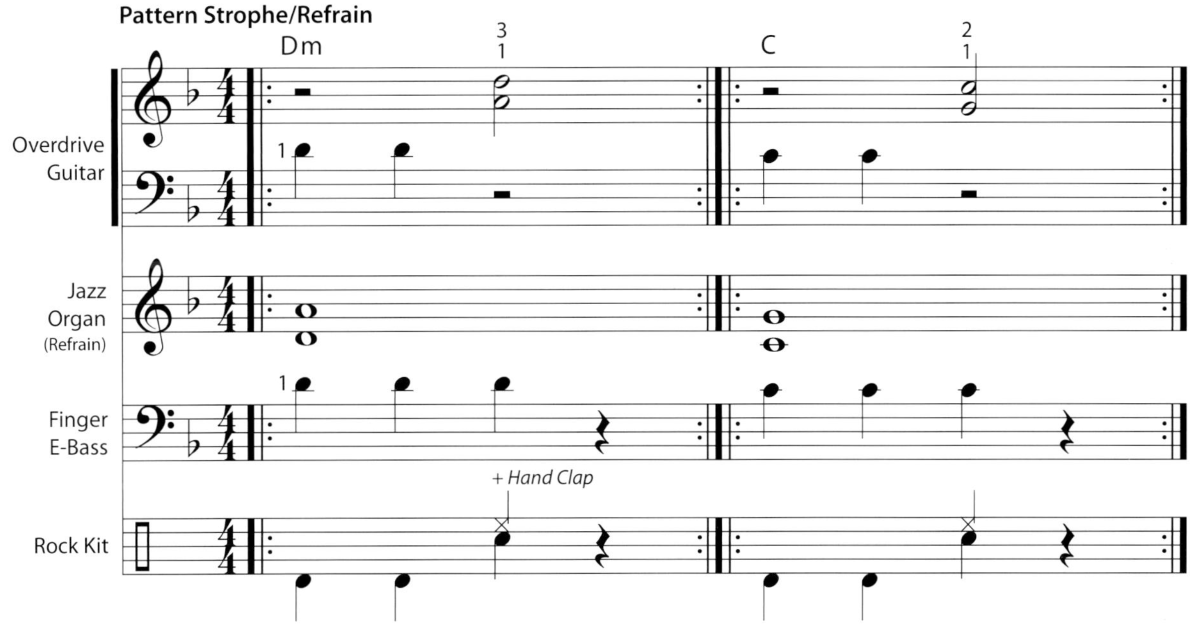

Dm C

Overdrive Guitar

Jazz Organ (Refrain)

Finger E-Bass

+ Hand Clap

Rock Kit

Überleitung Solorefrain

Solorefrain

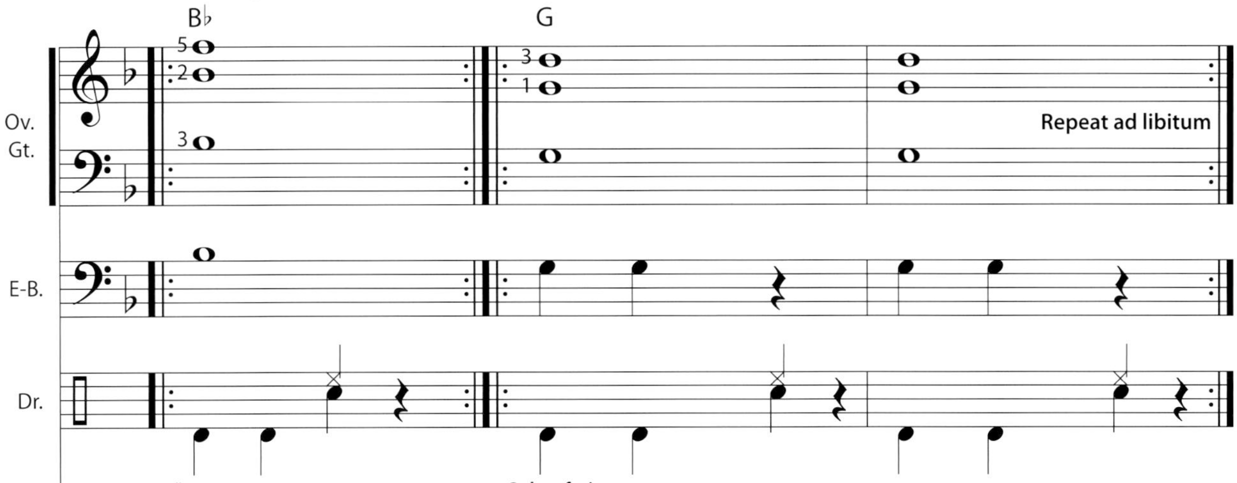

B♭ G

Repeat ad libitum

Ov. Gt.

E-B.

Dr.

Überleitung Solorefrain

Solorefrain

Ov. Gt.

Repeat ad libitum

Workshop: Akkorde I

Dur und Moll

1. Notiere auf jedem Ton der C-Dur-Tonleiter mit den Stammtönen (weiße Tasten) einen dreistimmigen Akkord in der Grundstellung.

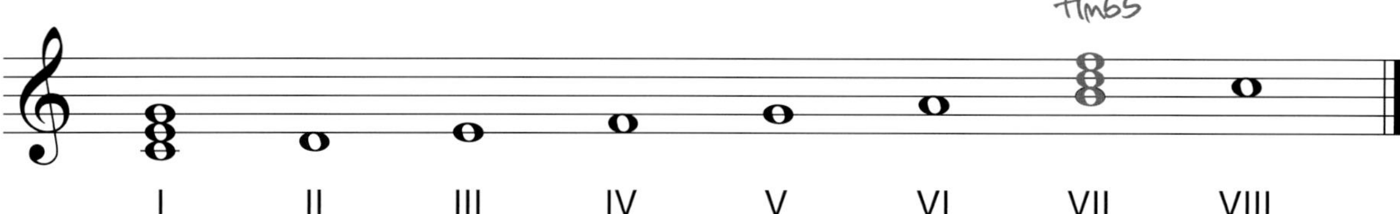

2. Spiele die Akkorde in gebrochener und simultaner Spielweise mit der rechten und linken Hand.

3. Spiele und vergleiche die in Aufgabe 1 notierten Akkorde vom Klang her miteinander. Untersuche bei allen Akkorden genau die Abstände der jeweiligen Akkordtöne!

4. Notiere über den Akkorden in Aufgabe 1 das jeweilige Akkordsymbol.

5. Eine keyboardtyische Spielweise, um mit Gitarren-Klangfarben gespielte Akkorde authentischer klingen zu lassen, ist das beidhändige Spiel mit der gleichen Klangfarbe in der gleichen Oktavlage im Split Play. Verwende dabei auch das Sustain-Pedal.

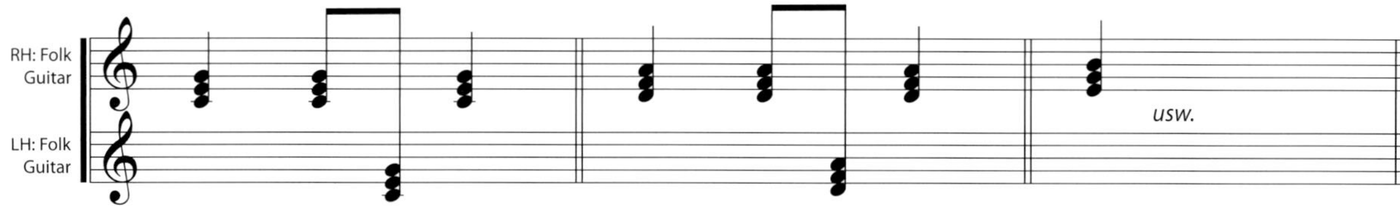

6. Musiziere die folgenden Songs *Drunken Sailor* (*Style:* Country 2/4) und *Matilda* (*Style:* High Life). Untersuche den Zusammenhang zwischen den Melodietönen und den jeweiligen Akkordbegleitungen. Notiere dazu zunächst die Akkorde und markiere dann gemeinsame Töne von Melodie und Akkorden.

** Text u. Musik: Norman Span; © Universal / Budde / Schneider / Neue Welt*

7. Suche die passenden Akkorde zur Melodie des folgenden mexikanischen Songs *La Cucaracha* und spiele/ singe das Stück mit Begleitung. Notiere die Akkordsymbole und spiele im *Style Play* (*Style:* Disco Latin).

8. Bestimme die Akkorde in der Begleitung des Stücks *Say It Right* auf Seite 32 und notiere dort die fehlenden Akkordsymbole.

9. Spiele deiner Nachbarin / deinem Nachbarn verschiedene Dur- und Mollakkorde vor und lass sie/ihn das Tongeschlecht hören. Die richtige Lösung wird bei der Einstellung „ACMP on" im Keyboard-Display angezeigt.

Umkehrungen

10. Akkorde werden nicht nur in Grundstellung verwendet. Notiere und spiele die Grundstellungen und Umkehrungen. Markiere jeweils die Umkehrung, die du bisher als Begleitakkord gespielt hast.

11. Untersuche und beschreibe die Melodie von *Clocks* im Intro auf Seite 6.

12. Melodien enthalten oft auf den betonten Zählzeiten akkordeigene Töne bzw. bestehen sogar aus Akkorden in gebrochener Spielweise. Kombiniert die folgenden Menuett-Takte, indem ihr aus jeder Spalte jeweils einen Takt auswählt und die ausgewählten Takte nacheinander zusammenhängend spielt.

13. Notiere die Akkordsymbole, die den jeweiligen Spalten zugrunde liegen.

14. Erfinde weitere Motive für die Melodie und Begleitung. Behalte dabei das Akkordschema bei.

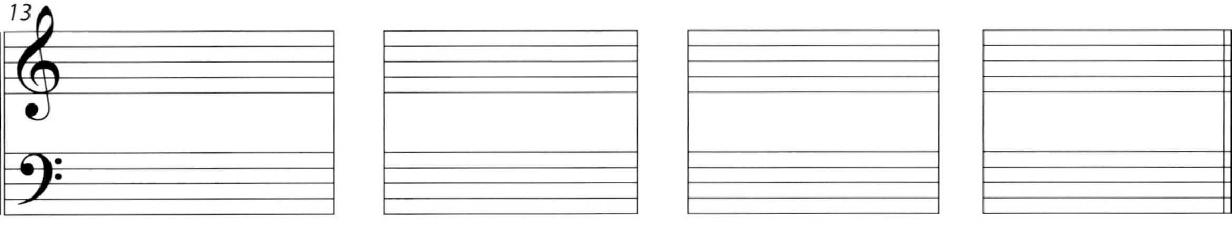

Careless Love *Traditional aus den USA*

Text u. Musik: M. E. Koenig, S. Williams

Solo: Style Play

1 *LH:* ACMP • *RH:* Sweet Tenor Sax • *Style:* Blues Rock (Shuffle Rock) • *Tempo:* ♩ = 120 • *Software:* User 002, Bank 1/2
2 *LH:* ACMP + Rock Organ • *RH:* Sax Ensemble (Sax Section)

2. Sorrow, sorrow to my heart, (3X)
me and my true love have to part.

3. I love my mama and my papa too, (3X)
I'd leave them both to go with you.

4. Now my apron strings don't pin, (3X)
you passed my door and won't come in.

5. Now my money's spent and gone (3X)
you passed my door a-singing a song.

6. I cried all night the night before, (3X)
gonna cry tonight and dry no more.

Vokabeln

careless	*unvorsichtig*
sorrow	*Kummer*
apron strings	*Schürzenbänder*
to pin	*feststecken*
to pass	*vorbei gehen*
to spend	*ausgeben*
to cry	*weinen*
to dry	*trocknen*

Workshop: Akkorde Em und D

1. Ergänze im jeweils ersten Takt die Notennamen und singe/spiele folgende neue Akkorde.

2. Benenne im *Music Theory Summit* die Noten auf Seite 130 (Zeile 1) sowie die Akkorde auf Seite 131.

Klassenensemble

Im folgenden Klassenensemble findet ihr für jeden Akkord jeweils ein Pattern. Musiziert diese entsprechend dem Harmonieverlauf des Songs.

Reggae For My Soul *Traditional aus den USA*

Solo: Style Play

1 *LH:* ACMP • *RH:* Steel Drum | 2 *RH:* Cool! Rotor (Drawbar) Organ | 3 *RH:* + Jazz Organ 1 • *Style:* Reggae • *Tempo:* ♩ = 70 • *Software:* U. 002, B. 3/4

1 **Strophe**

F / C7

Rock my soul in the bo-som of A - bra-ham, rock my soul in the bo-som of A - bra-ham,

F / C7 / F

rock my soul in the bo - som of A - bra-ham, oh, rock my soul. *Fill in!*

2

F / C7

So high I can't get o - ver it, so low I can't get un - der it,

F / C7 / F

so wide, I can't get 'round of it, oh, rock my soul. *Fill in!*

3 **Refrain**

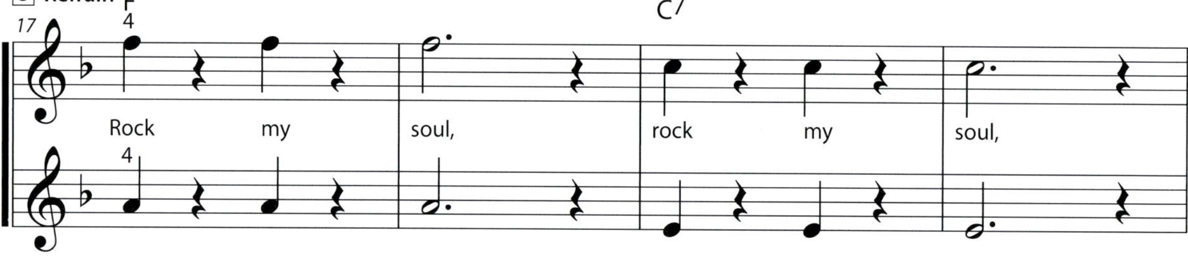

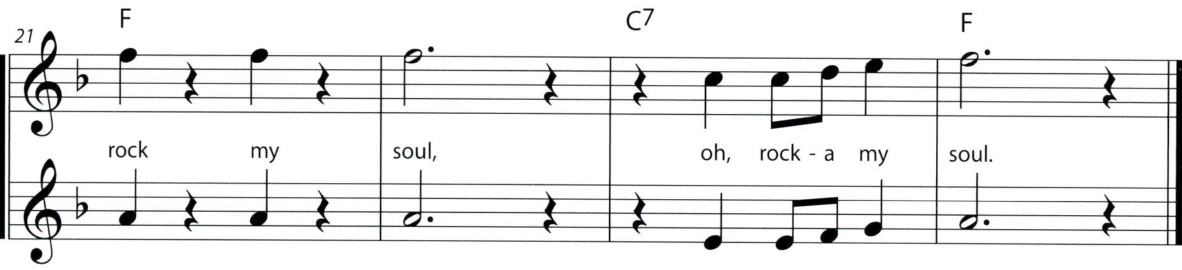

Workshop: Call and Response

Variiere die Töne des Response. Notiere deine Versionen.

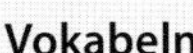

Vokabeln to rock *wiegen, schaukeln* bosom *Schoß* Abraham *Stammvater vieler Weltreligionen*

Klassenensemble

Workshop: Pattern- und Fill-in-Workshop 8 Beat

LH/RH: Standard Kit

1. Vervollständige vorbereitend die Aufgabe *Notation und Zuordnung Keyboard Percussion* im *Music Theory Summit* auf Seite 131.

2. Übe dann zunächst jeweils die nachfolgenden Strophen-/Refrain-Patterns. Füge anschließend das entsprechende *Fill-in*-Pattern hinzu.

3. Begleite mit der *Keyboard Percussion* verschiedene 8-Beat-Stücke in deiner Media-App, z. B. *Cocaine* (Track 18), *Supergirl* (Track 29) oder *You Can Leave Your Hat On* (Track 31).

Strophe **Fill in** **Refrain / Strophe Variation**

Rim Click / Snare Drum

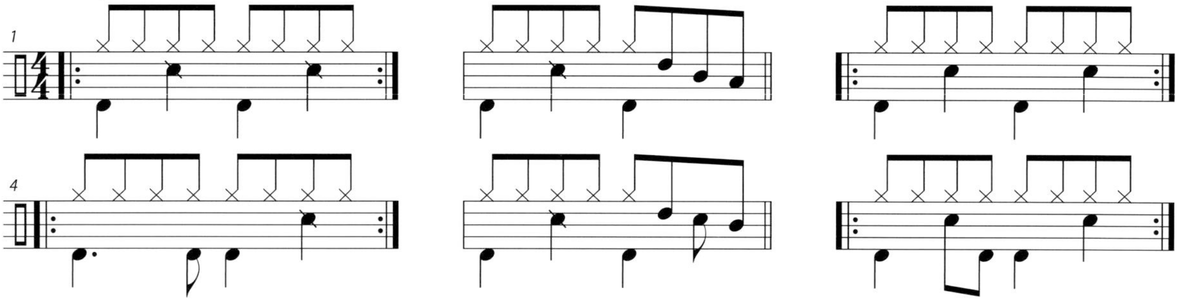

1

4

Hi-Hat / Ride Cymbal

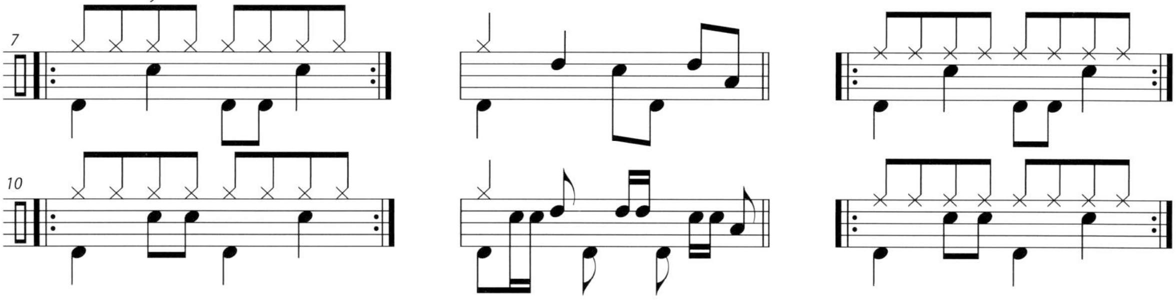

7

10

Closed und Open Hi-Hat

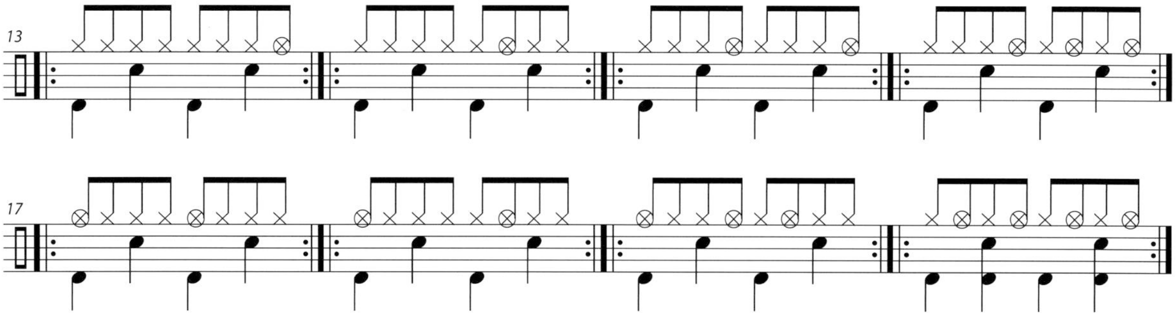

13

17

Freies Fill-Spiel

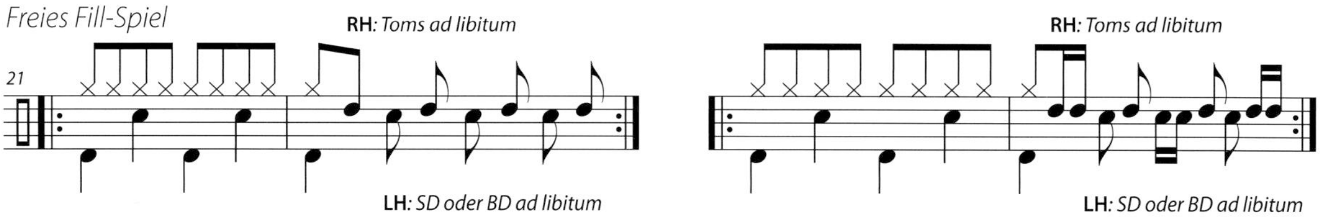

21

RH: *Toms ad libitum*

LH: *SD oder BD ad libitum*

RH: *Toms ad libitum*

LH: *SD oder BD ad libitum*

Workshop: Intervalle

Den Abstand zweier Töne bezeichnet man als **Intervall** (lat. ‚Zwischenraum').

Beim Zusammenklang wird die klangliche Wirkung eines Intervalls besonders deutlich, ob es „konsonant" (lat. ‚zusammen klingend') oder „dissonant" (lat. (dis-) ‚unterschiedlich, auseinander') ist.

Für die Intervallbestimmung ist es unerheblich, ob die Töne gleichzeitig oder nacheinander erklingen. Die Intervallbestimmung erfolgt in zwei Schritten:

Schritt 1) Grobbestimmung: Anzahl der Stammtöne (weiße Tasten) – Ableitung Intervallname
Schritt 2) Feinbestimmung: Anzahl der Halbtonschritte – Unterscheidung „rein", „klein" oder „groß"

Schritt 1: Grobbestimmung des Intervallnamens

Ermittle zunächst die Anzahl der Stammtöne, zähle dabei den unteren Ton mit. Benenne den jeweiligen Intervallnamen.

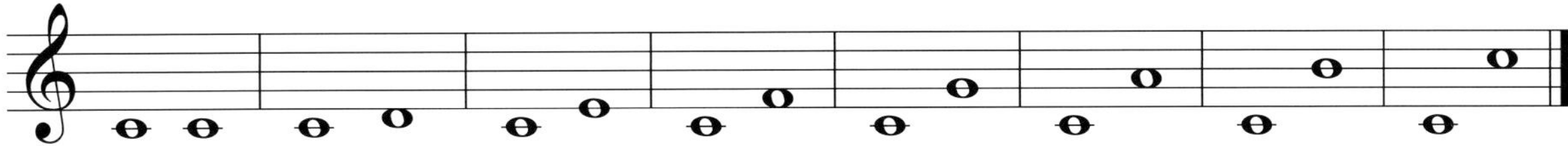

Schritt 2: Feinbestimmung: rein – klein oder groß

Benenne im folgenden Notenbeispiel den jeweiligen Intervallnamen (vgl. Schritt 1). Tipp: Versetzungszeichen werden dabei nicht berücksichtigt. Zähle dann auf deinem Keyboard die genaue Anzahl der Halbtonschritte. Der Ausgangston wird dabei nicht mitgezählt. Wenn es nur ein Intervall gibt, spricht man von reinen Intervallen, z. B. reine Prime. Gibt es mehrere Größen, unterscheide in groß oder klein, z. B. kleine bzw. große Terz.

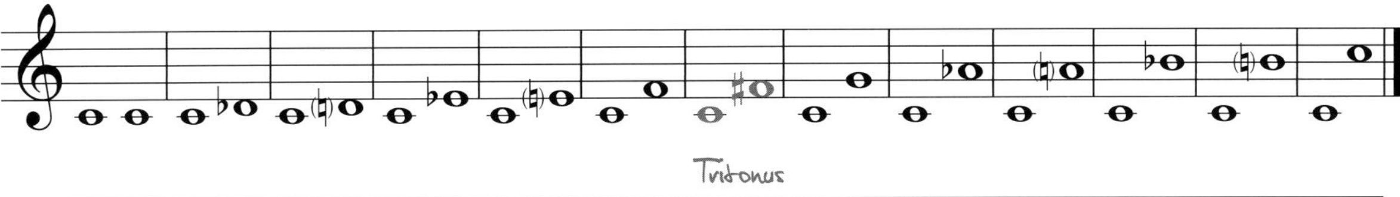

1. Spiele die Intervalle im vorhergehenden Notenbeispiel jeweils gleichzeitig und nacheinander. Beschreibe deren Klangcharakter. Welche Ähnlichkeiten und Unterschiede sind zu hören?

2. Begleite den nachfolgenden Melodieausschnitt mit einer zweiten parallelen Stimme.
Welche Intervalle eignen sich für eine Begleitung?

3. Spiele und bestimme die Intervalle im vorhergehenden und folgenden Notenbeispiel.

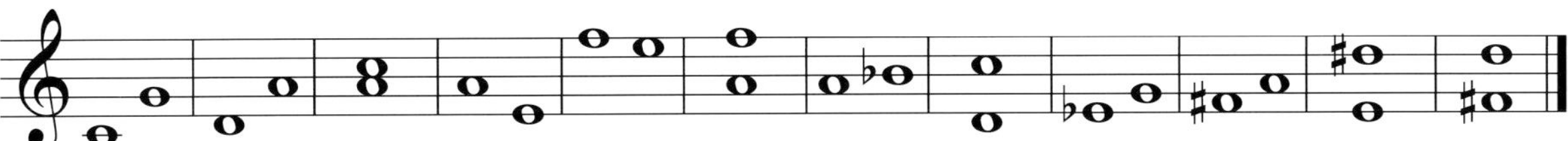

Samba de Janeiro

Airto G. Moreira, Gottfried Engels, Ramon Zenker

Solo: Split / Style Play

1 *LH:* Brush Kit • *RH:* Octave Brass + Synth Strings • *Tempo:* ♩ = 130 • *Software:* User 002, Bank 5/6
2 *LH:* ACMP • *RH:* Octave Brass + Synth Strings • *Style:* Latin Disco (Disco Pop)
3 *LH:* ACMP • *RH:* Analogon (Sequence Pulse) • *Arpeggiator:* Guitar Chord 2

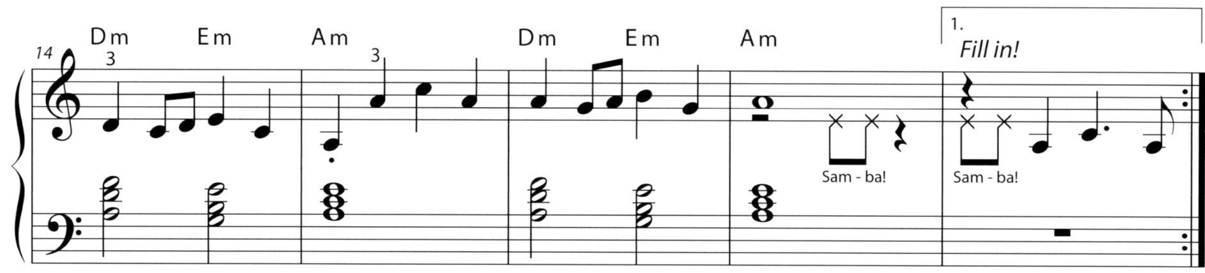

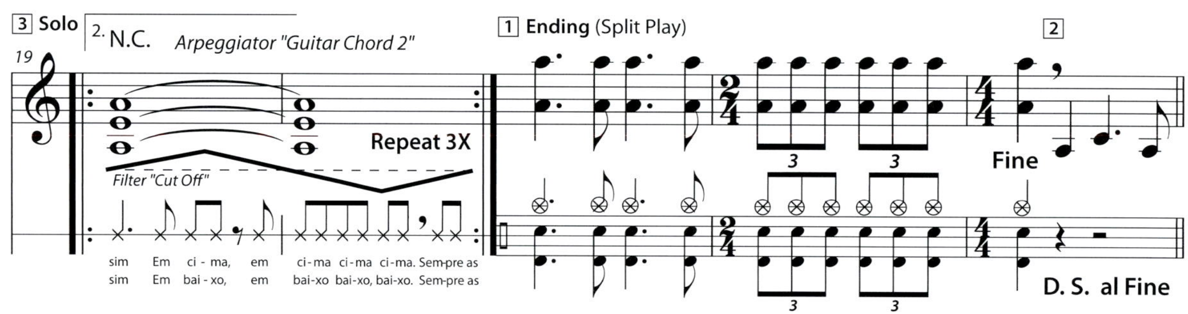

Klassenensemble

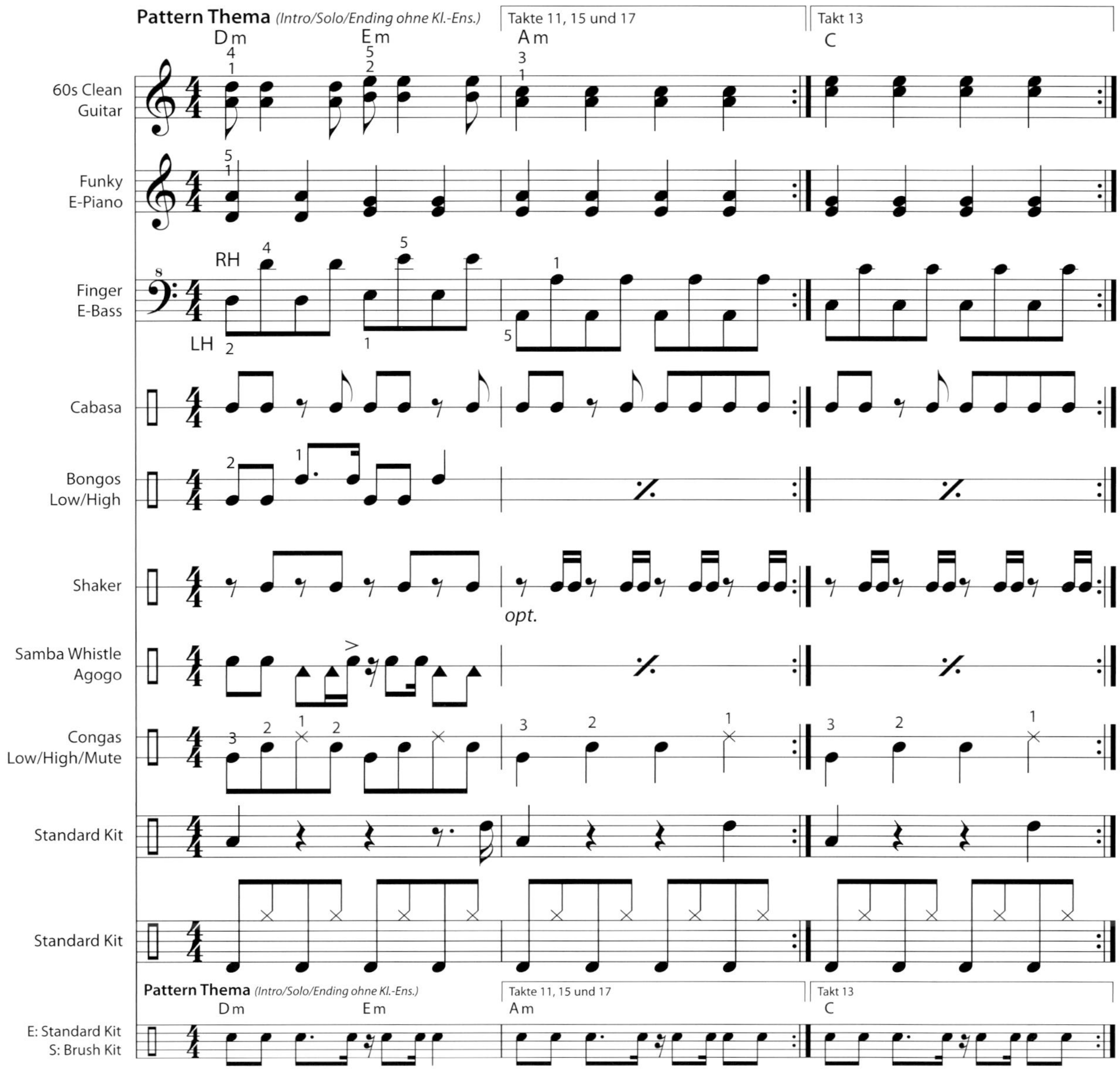

Pattern Thema *(Intro/Solo/Ending ohne Kl.-Ens.)* | Takte 11, 15 und 17 | Takt 13

Dm | Em | Am | C

60s Clean Guitar

Funky E-Piano

Finger E-Bass (RH / LH)

Cabasa

Bongos Low/High

Shaker (*opt.*)

Samba Whistle Agogo

Congas Low/High/Mute

Standard Kit

Standard Kit

Pattern Thema *(Intro/Solo/Ending ohne Kl.-Ens.)* | Takte 11, 15 und 17 | Takt 13

Dm | Em | Am | C

E: Standard Kit
S: Brush Kit

Workshop: Arpeggiator

Spiele die Arpeggiator-Figuren zunächst selbst und dann mit der Arpeggiator-Funktion.

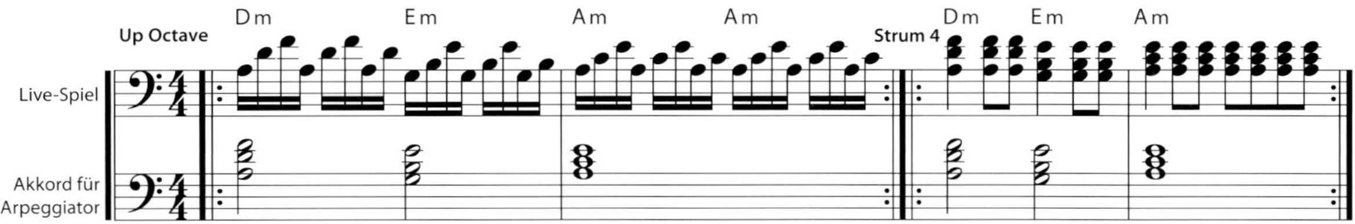

Workshop: Achteltriolen

Eine Viertelnote kann man in zwei Achtel oder vier Sechzehntel unterteilen. Achteltriolen sind eine weitere Möglichkeit der Unterteilung. Vervollständige die Takte mit Achteltriolen. Spiele mit *Keyboard Percussion*.

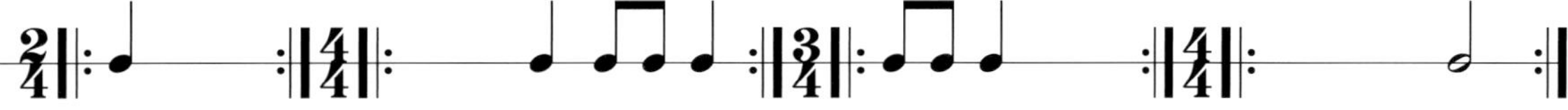

Pick A Bale Of Cotton *Traditional*

Solo: Split Play

[1] *LH:* Honky Tonk • *RH:* Banjo | [2] *RH:* Fiddle • *Style:* Worship Rock Ballad (Country Ballad) • *Tempo:* ♩ = 126 • *Software:* User 002, Bank 7/8

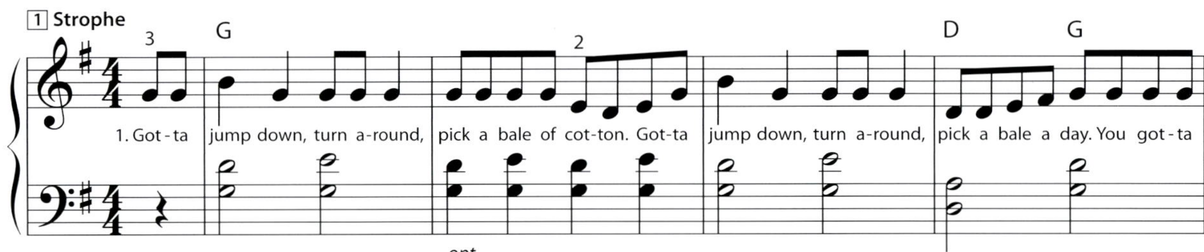

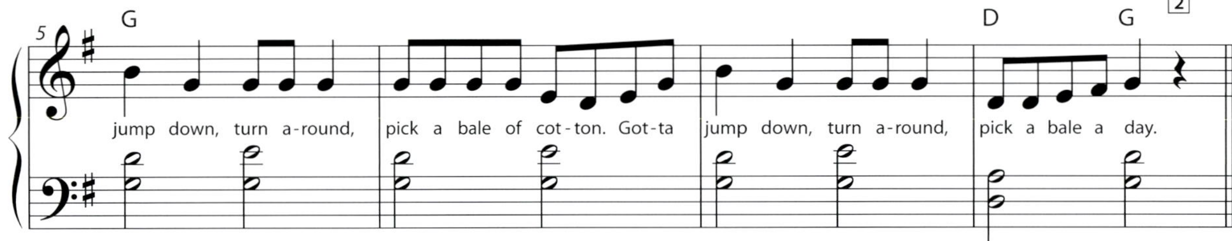

2. 𝄽 | Me an' my partner can
pick a bale of cotton.
𝄽 | Me an' my partner can
pick a bale a day. (2X)

Refrain: Oh, Lordy...

3. Had a little woman could
pick a bale of cotton.
Had a little woman could
pick a bale a day. (2X)

Refrain: Oh, Lordy...

4. Went to Corsicana to
pick a bale of cotton.
Went to Corsicana to
pick a bale a day. (2X)

Refrain: Oh, Lordy...

5. I believe to my soul I can
pick a bale of cotton.
I believe to my soul I can
pick a bale a day. (2X)

Refrain: Oh, Lordy...

Workshop: Tonleiter G-Dur

Notiere die Notennamen und singe/spiele die Tonleiter.

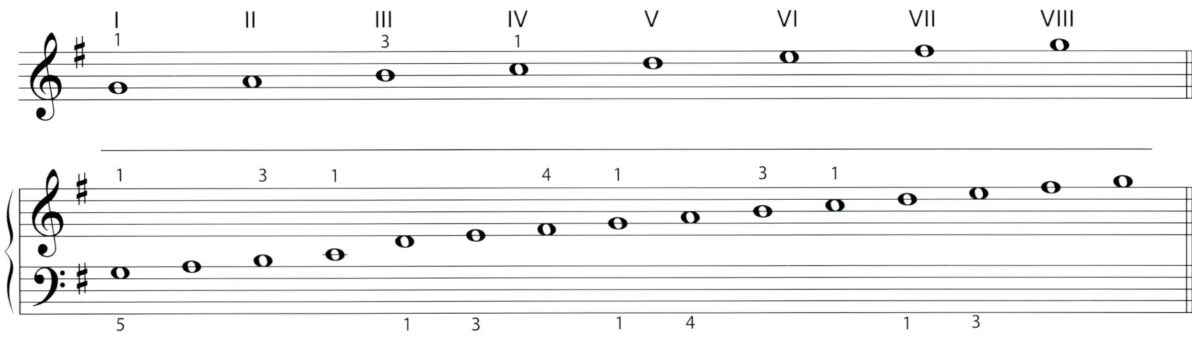

Workshop: Terzparallelen 1

Spiele die nachfolgenden Terzen. Betone dabei die jeweils oberen Töne auf den Zählzeiten 1 bzw. 3.

Klassenensemble

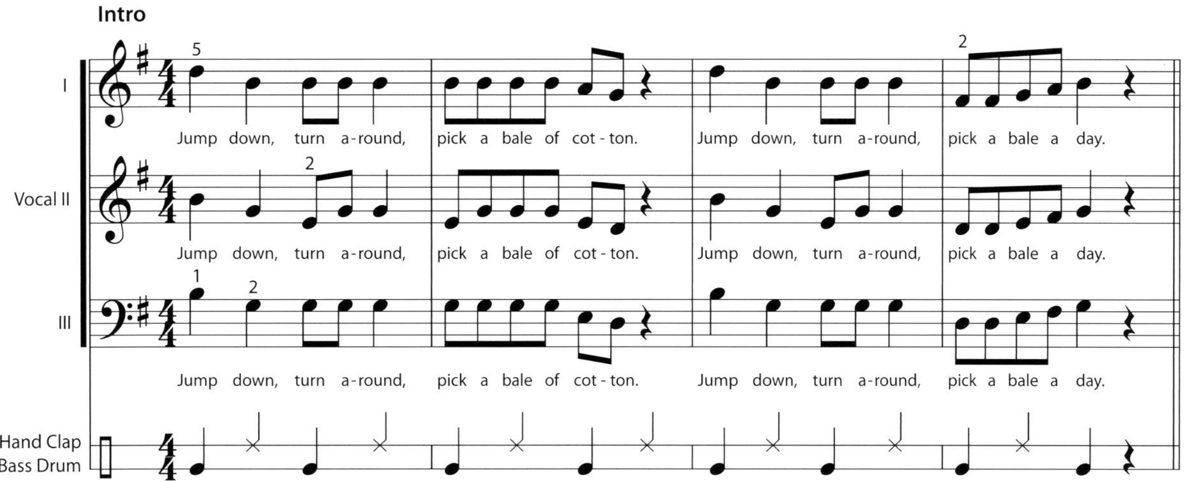

Strophe/Refrain

1. | 2./3./4.

G | D G | D G

Fiddle I

Fiddle II

Acoustic Bass

Finger Snap / Hand Clap

Jazz Kit

Fiddle

Strophe/Refrain

1. | 2./3./4.

G | D7 G | D7 G

Steel Guitar

Vokabeln

to pick	*pflücken*	Corsicana	*Stadt in Texas*	soul	*Seele*
bale of cotton	*Baumwollballen*	to believe	*glauben*		

Say It Right *Nelly K. Furtado, F. N. Hills, T. Mosley*

09/43

Solo: Style Play

1 *LH:* ACMP • *RH:* Saw Lead • *Style:* Chart R&B (Modern R&B) • *Tempo:* ♩ = 118 • *Software:* User 003, Bank 1/2
2 *LH:* ACMP + Choir • *RH:* Dream Heaven (Fantasy)

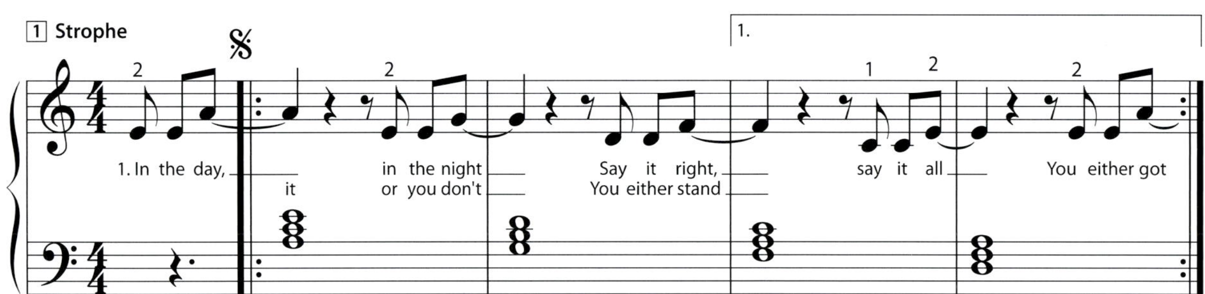

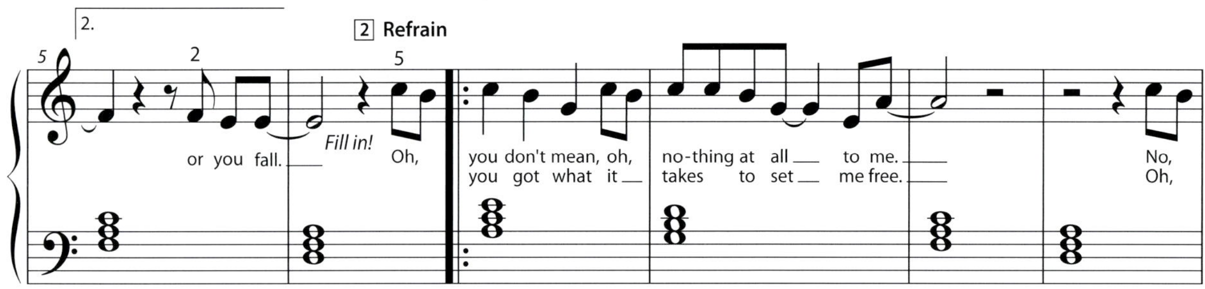

D. S. and fade out

2. When your will is broken,
when it slips from your hand,
when there's no time for joking
there's a hole in the plan.

3. I can't say that I'm not at a loss and at fault.
I can't say that I don't love the light and the dark.
I can't say that I don't know that I am alive and I love what I feel.
I could show you tonight, you tonight.

4. From my hands I could give you something that I made.
From my mouth I could sing you another brick that I laid.
From my body I could show you a place God knows.
You should know, this space is holy. Do you really wanna go?

Vokabeln

to stand	*stehen*
to fall	*fallen*
to mean nothing to somebody	*jemandem nichts bedeuten*
to set so. free	*jemanden frei lassen*
broken will	*gebrochener Wille*
to slip	*rutschen*
hole	*Loch*
loss	*Verlust*
fault	*Schuld*
holy	*heilig*

Klassenensemble

Strophe/Refrain

Am G F Dm

Celesta (Refrain)

Repeat 5X and fade out

Air Choir 8va

Air Choir (Refrain)

Classic Guitar

Finger E-Bass

Conga H
Conga L
Hi-Hat

RH LH

Shaker

Analog Kit

Strophe/Refrain

Am G F Dm

Choir

Repeat 5X and fade out

Workshop: Akkordbestimmung

Bestimme die Akkorde in der Begleitung des Stücks *Say It Right* auf Seite 32 und notiere die fehlenden Akkordsymbole (vgl. Workshop *Akkorde I* auf Seite 21, Aufgabe 8).

Zusatzaufgabe: Spiele den *Keyboard-Percussion-Parcours* D auf Seite 127.

Workshop: Akkorde II – Septakkorde und Voicings

Um eine Begleitung harmonisch farbiger zu gestalten, können die dreistimmigen Dur- und Moll-Akkorde um zusätzliche Akkordtöne erweitert werden. Mit einer weiteren (kleinen) Terz entstehen **Septakkorde**, die sowohl in der klassischen Musik, als auch besonders häufig im Blues und Jazz verwendet werden.

Ihre Benennung basiert auf dem Abstand des neuen Tons zum Grundton, in der Grundstellung eine (kleine) Septime.

1. Notiere auf jedem Ton der C-Dur-Tonleiter einen vierstimmigen Akkord in Grundstellung. In der Keyboard*Class* werden zunächst Septakkorde mit kleiner Septime verwendet. Achte darauf, dass das oberste Intervall eine kleine Terz ist bzw. der oberste Ton zum Grundton eine kleine Septime Abstand hat.

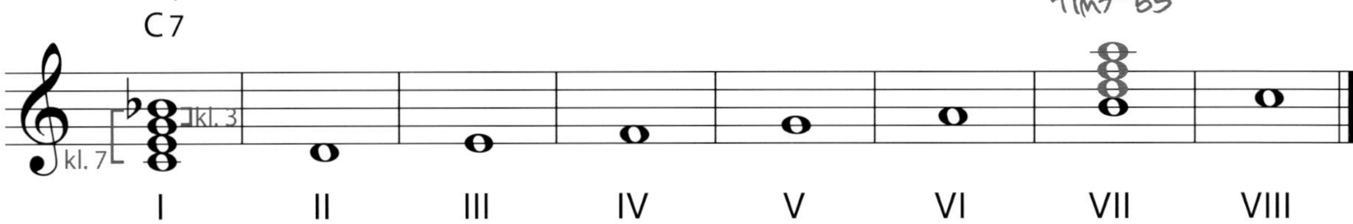

2. Spiele Septakkorde in gebrochener und simultaner Spielweise mit der rechten und linken Hand.

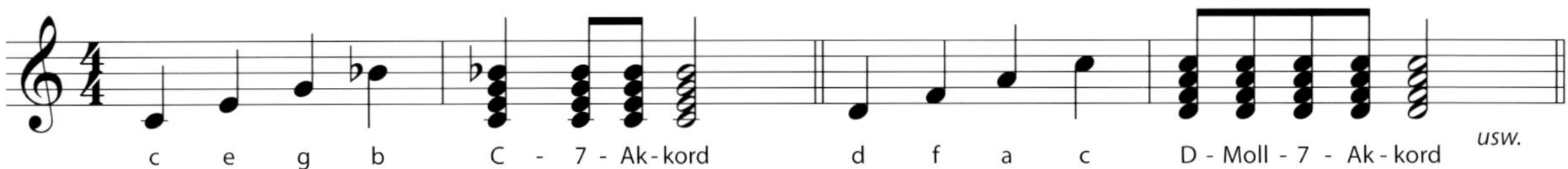

3. Spiele und vergleiche die in Aufgabe 1 notierten Akkorde vom Klang her miteinander. Untersuche bei allen Akkorden genau die Abstände der jeweiligen Akkordtöne!

4. Notiere über den Akkorden in Aufgabe 1 das jeweilige Akkordsymbol.

5. Spiele deiner Nachbarin / deinem Nachbarn verschiedene Dur-/Mollakkorde mit und ohne Septime vor und lass sie/ihn das Tongeschlecht und ggf. die Septime hören. Die richtige Lösung wird bei der Einstellung „ACMP on" im Keyboard-Display angezeigt.

6. Auch Septakkorde können nicht nur in Grundstellung verwendet werden. Notiere und spiele die Grundstellungen und Umkehrungen des F7- bzw. G7-Akkords.

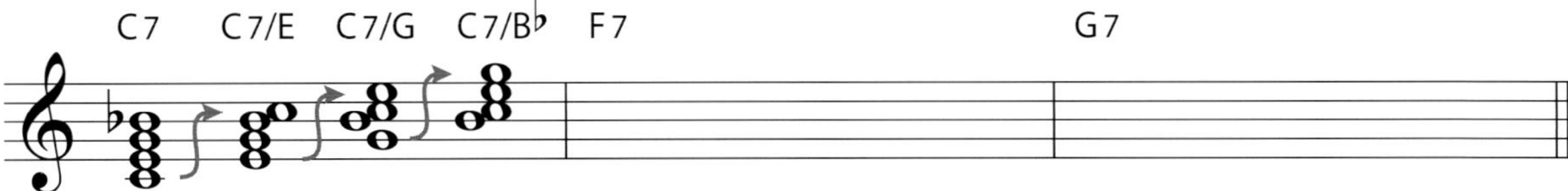

Klanglich reizvoll ist die Reduktion eines Septakkords auf die wichtigen Akkordtöne, und zwar den Terzton (Tongeschlecht) und die Septime (charakteristische Dissonanz). Dabei entsteht ein jazzig klingendes **Tritonus-Voicing**, welches auf der Gitarre und auch auf einem Tasteninstrument leicht spielbar ist. Wenn man die Terz und Septime bei einigen Akkorden vertauscht, kann man beim Harmoniewechsel den Tritonus bequem parallel verschieben.

7. Notiere die Tritonus-Voicings des F7- und G7-Akkords in der oberen Zeile. Vertausche dann ggf. die Töne, sodass beim Harmoniewechsel möglichst kurze Wege entstehen. Notiere die Voicings in der unteren Zeile.

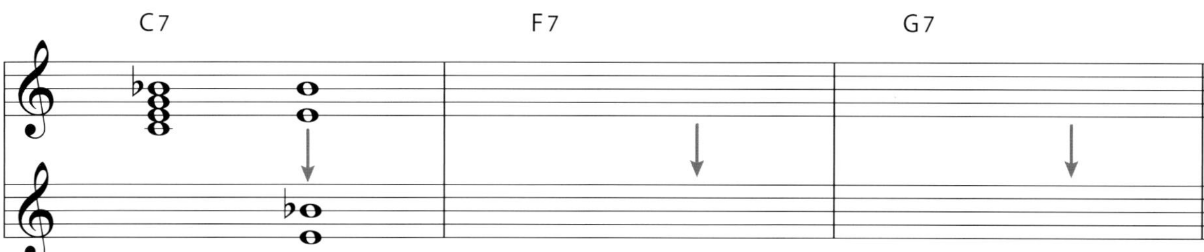

Workshop: Pitch Bend

Pitch Bend-Tonleiter

In Zeile I ist das klangliche Ergebnis notiert (C-Dur-Tonleiter). Spiele jedoch nicht jede Note, sondern jede 1./3./... (vgl. Zeile II) oder jede 2./4./... (vgl. III). Die Zwischentöne werden stufenlos mit dem *Pitch Bend* erreicht.

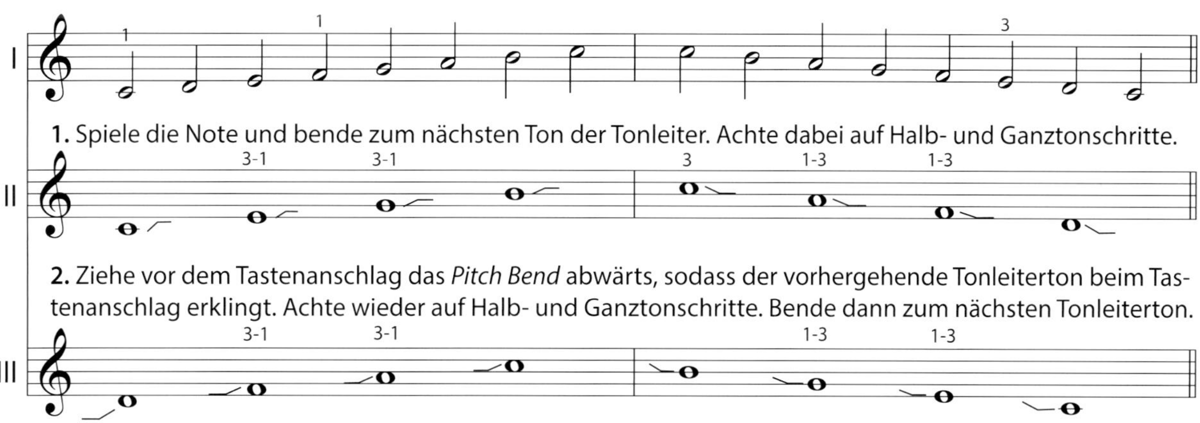

1. Spiele die Note und bende zum nächsten Ton der Tonleiter. Achte dabei auf Halb- und Ganztonschritte.

2. Ziehe vor dem Tastenanschlag das *Pitch Bend* abwärts, sodass der vorhergehende Tonleiterton beim Tastenanschlag erklingt. Achte wieder auf Halb- und Ganztonschritte. Bende dann zum nächsten Tonleiterton.

Pitch Bend-Tonleiter mit Wechselnoten

In Zeile I ist das klangliche Ergebnis notiert. Spiele nicht jede Note, sondern jede 1./4./... (Ausführung siehe Zeile II). Die Wechselnoten und der nachfolgende Ausgangston werden stufenlos mit dem *Pitch Bend* erreicht.

3. Bewege das *Pitch Band*-Rad nach dem Tastenanschlag nach oben und wieder in die Ausgangsstellung (vgl. *Amen* Klassenensemble-Stimme *Tenor Saxophone,* Takt 4). Achte dabei auf Halb- und Ganztonschritte.

C Jam Blues *Duke Ellington*

Solo: Voice Play

LH/RH: 1 Piano | 2 Jazz Organ • *Style:* Acoustic Jazz (Swing) • *Tempo:* ♩ = 130 • *Software:* User 003, Bank 3/4

Workshop: Akkorde F7 und Dm7

1. Ergänze die Notennamen im ersten Takt und singe/spiele – auch im Wechsel mit anderen Akkorden.
2. Benenne die neuen Akkorde im *Music Theory Summit* auf Seite 131.

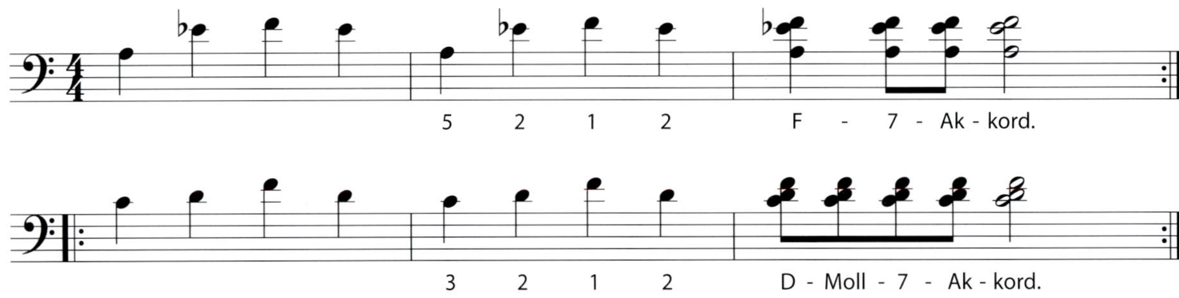

Zusatzaufgabe: Benenne die Intervalle im *Music Theory Summit* auf Seite 131.

Klassenensemble

C7 F7 C7

Jazz Section

Tenor Sax

Orchestra Brass

Trombone I

Trombone II

Jazz Guitar

Acoustic Bass

Jazz Kit

Piano

C7 F7 C7

LH opt. statt Schülerbassstimme

Klassenensemble Seite 2/3

Dm7
G7
C7
1. G7
2. C7
JSect
TSax
Br.
Tb. I
Tb. II
J-Git.
Ac.-B.
Dr.
Pno.

Only Time *Enya*

Text: Roma Shane Ryan
Musik: Eith Ni-Bhraonain, Nickolas Dominick Ryan
© De Haske Hal Leonard

11/45

Solo: Split Play

1 *LH:* Dream Heaven (Fantasy) • *RH:* Pizzicato Strings • *Style:* (70s) Glam Piano (Piano Ballad) • *Tempo:* ♩ = 82 • *Software:* User 003, Bank 5/6
2 *LH:* RS Analog Pad • *RH:* Vocal Ensemble (Synth Voice)

1 **Intro**

G

2 **Strophe**

G Em C 1. G 2. G

1. Who can say where the road goes, where the day flows? On-ly time. And
who can say if your love grows as your heart chose? On-ly time.

Refrain

Em C D G D/F♯

De da da day. De da da day. De da day.

Em C D

De da da day. De da da day. De da de day da day.

Bridge

B♭ F E♭ B♭ B♭ F E♭ B♭

B♭ F E♭ B♭ F E♭ D G

D. S. and fade out

Vokabeln

to flow *fließen* to grow *wachsen* to choose *aussuchen, wählen*

Klassenensemble

Intro — Strophe (ab D.S.)

G | G | Em | C | G

Choir · Pizzicato Strings · Synth Strings I / II · Oct. Strings / Bright Synth · Claves · Pizzicato Strings

Repeat 3X · simile

Intro G — Str. G | Em | C | G

Refrain (11/15)

Em | C | 1. D | G D/F♯ | 2. D

Ch. · Pizz. Str. · Str. I / II · Oct. Str. + Br. S. · Clv. · Pizz. Str.

Refrain Em | C | D | G D/F♯ | D

Bridge (19, 25)

B♭ F E♭ | B♭ | B♭ F E♭ D | G

Ch. · Pizz. Strings · Str. I / II · Oct. Str. + Br. S. · Claves · Dr. · Pizz. Str.

Repeat 2X

D. S. and fade out

Bridge B♭ F E♭ | B♭ | B♭ F E♭ D | G

RH · LH

Repeat 2X

D. S. and fade out

Mädchen gegen Jungs *Bibi & Tina*

Rap / Ensemble

Text: Peter Plate, Ulf Sommer
Musik: Daniel Faust, Peter Plate, Ulf Sommer

Style: US HipHop (Main B) • *Tempo:* ♩ = 92 • *Software:* User 003, Bank 7/8

Strophe
1. Ihr Mädchen seid auf Instagram,
auf YouTube und im Bus.
Ihr labert ohne Pause,
in der Pause meistens Stuss.
Über Kunst, über Jungs,
am liebsten über uns.
Jungs gegen Mädchen!
Mädchen gegen Jungs!

Mädchen in der Herde
sind wie Schafe, lieben Pferde,
keine Action, One Direction,
oh, Augen zu, ich sterbe.
Aufs Klo rennen sie zusammen,
weil ein Mädchen nie allein sein kann.
Jungs gegen Mädchen!
Mädchen gegen Jungs!

Refrain
Jungs gegen Mädchen! Nein, Mädchen gegen Jungs!
Jungs gegen Mädchen! Nein, Mädchen gegen Jungs!
Das gibt Ärger! Wer ist stärker?

Strophe
2. Jungs sind wie Wasser,
keine Farbe, kein Geschmack.
Wie 'n Witz ohne Lacher,
denk ich richtig drüber nach.
Auf ihren Schultern sitzt ein Kopf,
keiner weiß wieso.
Mädchen gegen Jungs –
Come on girls, let's go!

Sie riskieren 'ne große Lippe,
doch ich hab nur eine Bitte:
Wechsel mal dein Deo
und dann ab durch die Mitte!
Und überhaupt ist alles retro,
wie du rappst! – Geht so! –

Refrain

Strophe
3. Mädchen können nicht tanzen,
denn ihr habt doch keinen Groove.
Ihr zerstört noch jede Party.
Hier kommt 'n Spruch fürs Tagebuch:
Da, wo Mädchen sind, ist Wüste,
alles lahm, gar nichts los.
Hab schon eingeschlafene Füße.
Wenn Mädchen rappen, seh ich rot!

Für diese richtig dünnen Worte
hast du richtig fett geübt,
du bist ja völlig außer Atem,
geh mal duschen, denn du glühst ...
wie 'ne Birne, die gleich platzt,
komm mal runter, ruh dich aus.
Denn wenn Jungs total k. o. sind,
wachen Mädchen grade auf.

Refrain

(Ja, wieder 'n bisschen Schminkie-Schminkie machen, mh?
... Geht mal euer One Direction hör'n!
Habt ihr keine besseren Sprüche?)

Refrain-Variationen
Jungs gegen Mädchen! Nein, Mädchen gegen Jungs!
Jungs gegen Mädchen! Nein, Mädchen gegen Jungs!
Jungs sind wie Wasser, keine Farbe, kein Geschmack.
Wie 'n Witz ohne Lacher, denk ich richtig drüber nach.
...
Da wo Mädchen sind, ist Wüste,
alles lahm und gar nichts los.
Hab schon eingeschlafene Füße.
Wenn Mädchen rappen, seh ich rot.
....
Jungs sind wie Wasser, keine Farbe, kein Geschmack.
Wie 'n Witz ohne Lacher, denk ich richtig drüber nach.
....
Da wo Mädchen sind, ist Wüste,
alles lahm und gar nichts los.
Hab schon eingeschlafene Füße.
Wenn Mädchen rappen, seh ich rot.

Kids: Boah, sind die albern. Aber echt!

Klassenensemble

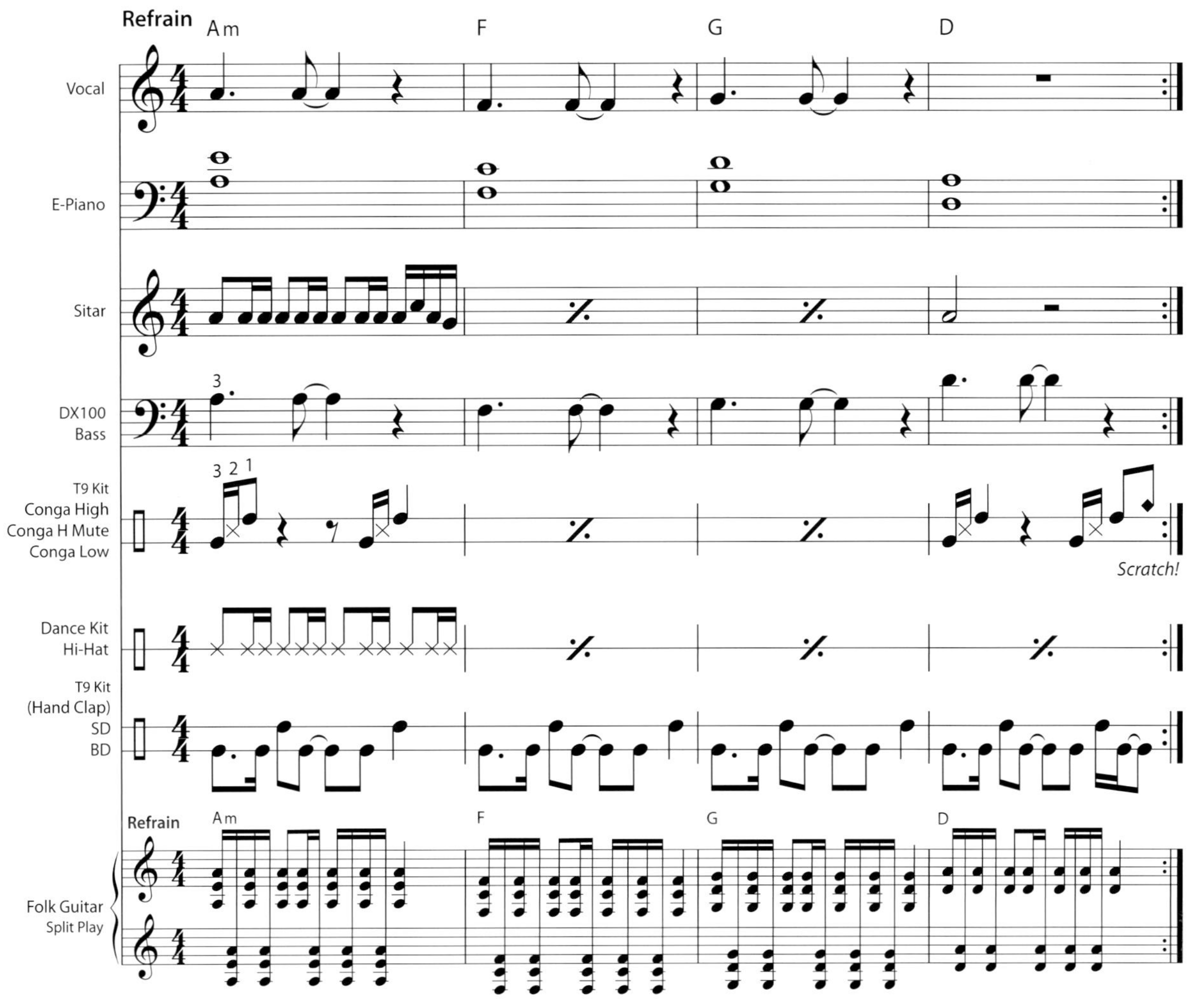

Refrain
Am F G D
Vocal
E-Piano
Sitar
DX100 Bass
T9 Kit Conga High Conga H Mute Conga Low
Scratch!
Dance Kit Hi-Hat
T9 Kit (Hand Clap) SD BD
Refrain
Am F G D
Folk Guitar Split Play

Drei Haselnüsse für Aschenbrödel

Karel Svoboda

13/47

Solo: Voice / Split Play

1 *LH/RH:* Piano • *Style:* English Waltz • *Tempo:* ♩ = 126 • *Software:* User 004, Bank 1/2
2 *LH:* Acoustic Bass • *RH:* Oboe + Strings | 3 *RH:* Octave Strings | 4 *RH:* Flute + Strings

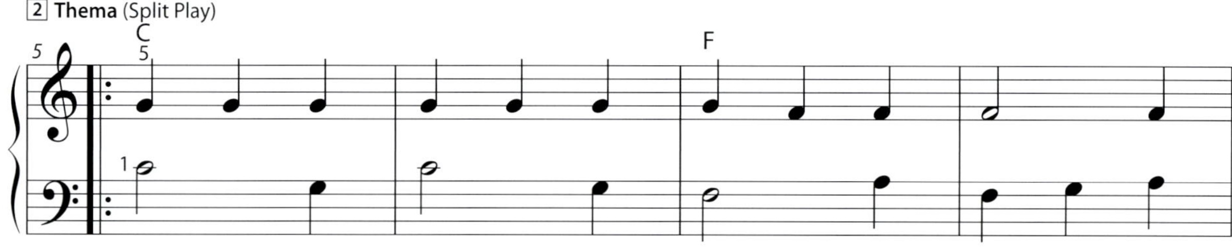

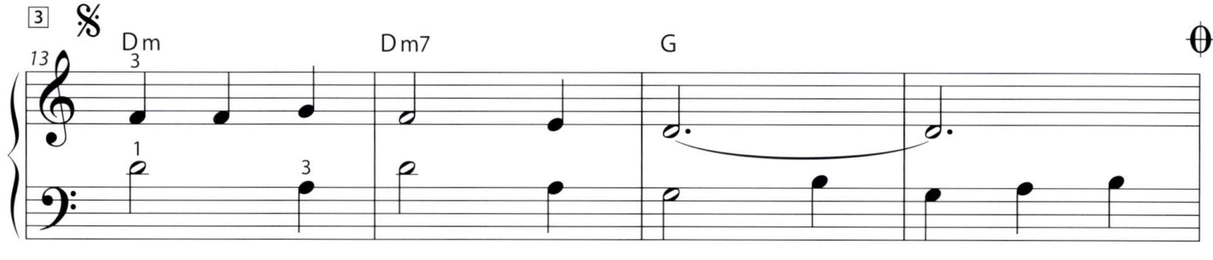

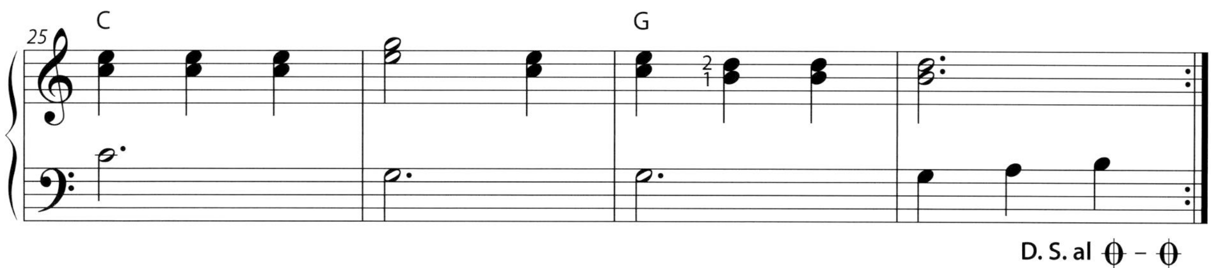

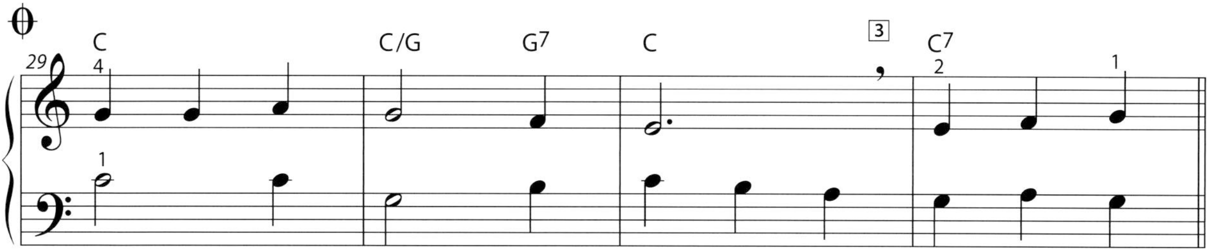

Coda

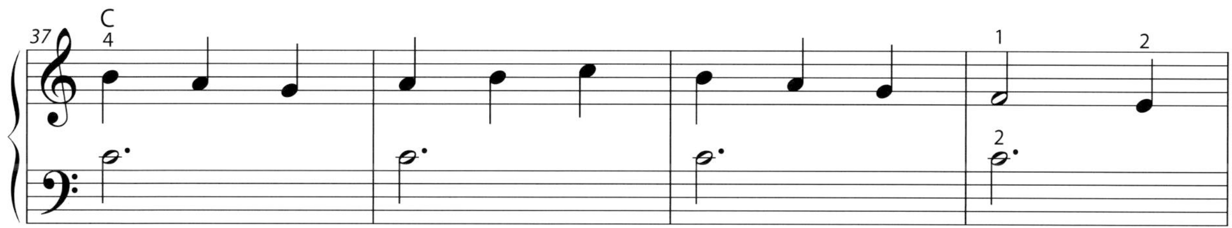

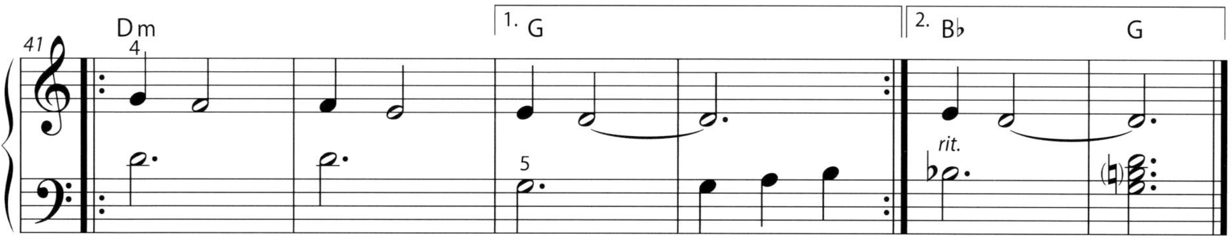

Workshop: Terzparallelen 2

Spiele die nachfolgenden Terzen. Betone dabei jeweils den oberen Ton auf der Zählzeit 1.

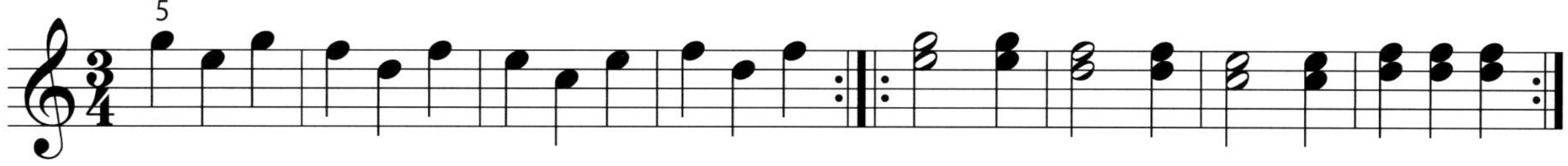

Zusatzaufgaben:

Benenne die dynamischen Zeichen im *Music Theory Summit* auf Seite 131.

Spiele den *Keyboard-Percussion-Parcours* E auf Seite 128.

Klassenensemble

C
G
Str. I
Gl.
Hch.
Hp.
Ac. Bass
Perc.
Pno.
Dm
Dm7
G
Em
F
SSax
Str. II
Str. III

19
D7
G
SSax
D. S. al 𝄌 – 𝄌
Str. II
Str. III
Hp.
5
Ac. Bass
19
Perc.
D79
G
Pno.
D. S. al 𝄌 – 𝄌
𝄌
29
C
C/G
G7
C
C7
3
5
1
4
1
29
C
C/G
G7
C
C7
Coda
33
F
G
Str. I 8va
Str. II
Hch.
Hp.
Ac. Bass
33
Jazz Kit
Coda
F
G
Pno.

37
C
Str. I
8va
Str. II
Hch.
Hp.
Ac.
Bass
Jazz
Kit
Pno.
41
Dm
1. G
2. B♭
G
rit.

Happy Xmas (War Is Over!) *John Lennon, Yoko Ono*

Solo: Style Play

1 *LH:* ACMP • *RH:* Sweet Tenor Sax • *Style:* 6/8 Modern EP (6/8 Ballad) • *Tempo:* ♩. = 50 • *Software:* User 004, Bank 3/4
2 *LH:* ACMP + Choir • *RH:* Sweet Tenor Sax | 3 *RH:* Sweet Tenor Sax + Strings | 4 *RH:* Fantasia (Fantasy)

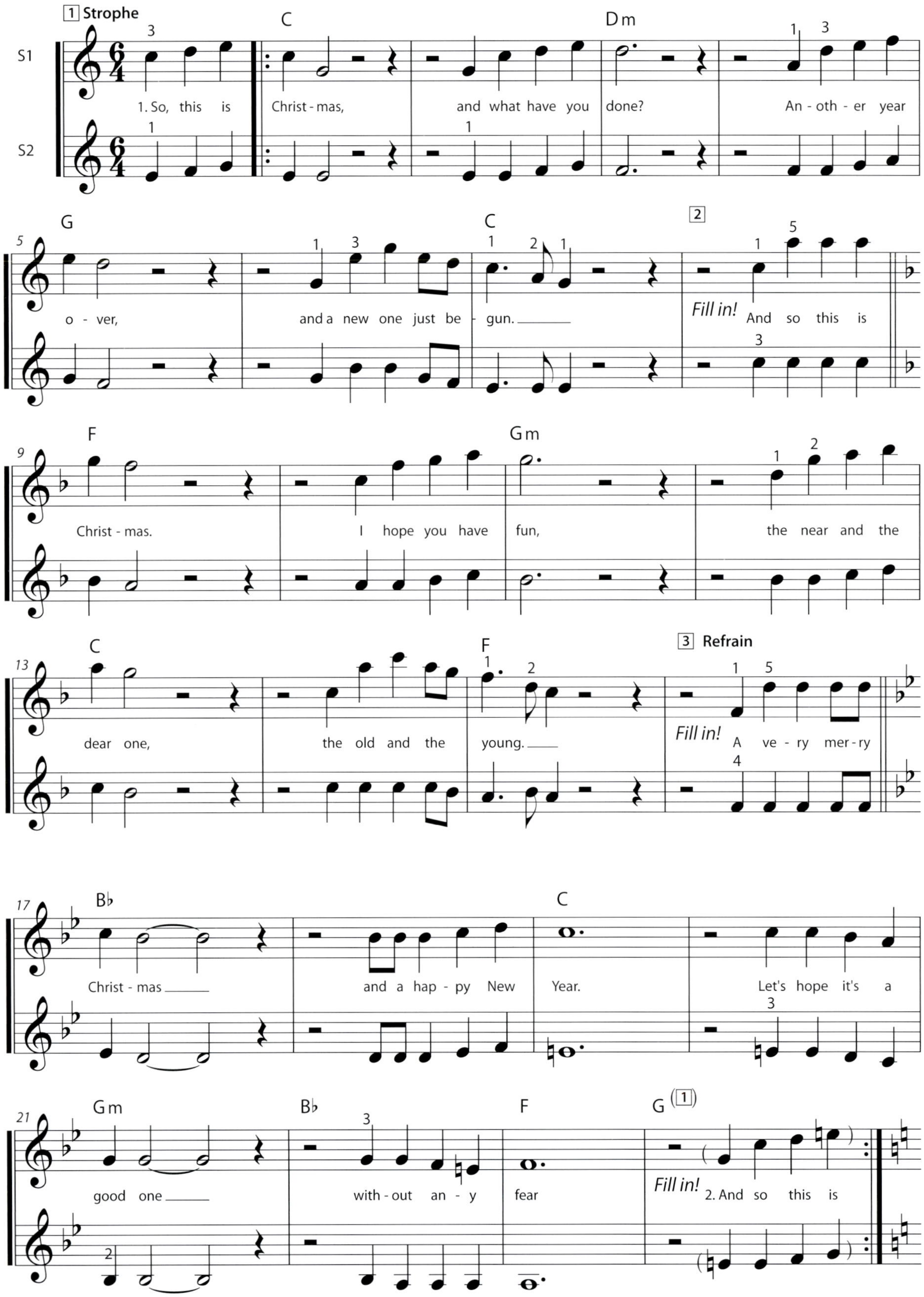

1 Strophe

S1 / S2

C · Dm · G · C
1. So, this is Christ - mas, and what have you done? An - oth - er year o - ver, and a new one just be - gun. ____

2
Fill in! And so this is

F · Gm · C · F
Christ - mas. I hope you have fun, the near and the dear one, the old and the young. ____

3 Refrain
Fill in! A ve - ry mer - ry

B♭ · C · Gm · B♭ · F · G (1)
Christ - mas ____ and a hap - py New Year. Let's hope it's a good one ____ with - out an - y fear

Fill in! 2. And so this is

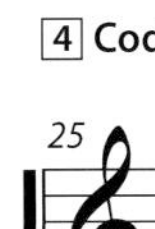

4 Coda

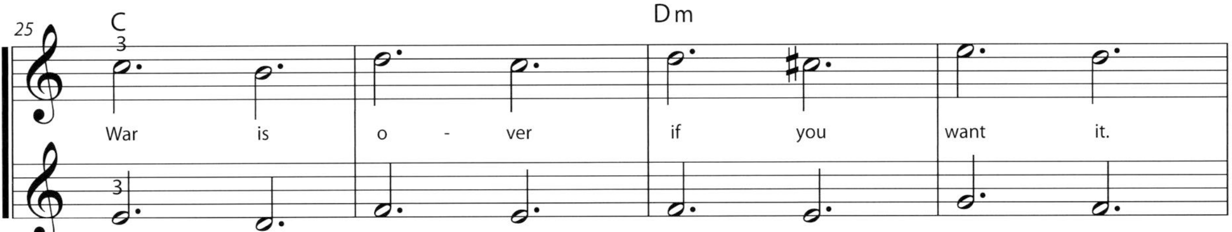

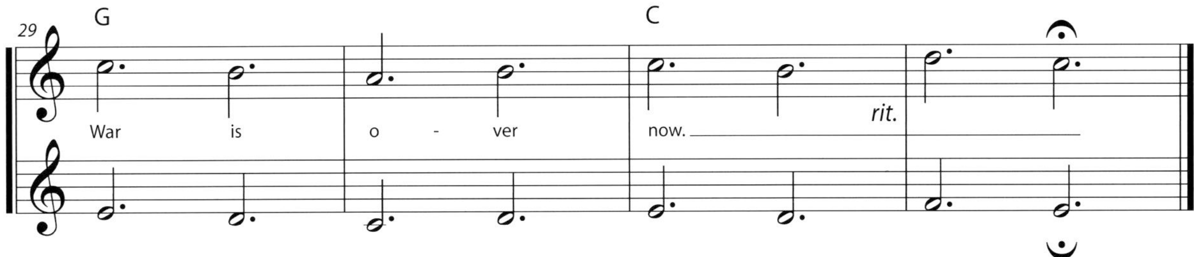

2. And so this is Christmas
for weak and for strong.
For rich and the poor ones,
the road is so long.
And so, happy Christmas
for black and for white,
for yellow and red ones,
let's stop all the fight.

Refrain
A very merry Christmas...

3. And so this is Christmas
and what have we done?
Another year over
and a new one just begun.
And so happy Christmas,
we hope you have fun,
the near and the dear ones,
the old and the young.

Refrain
A very merry Christmas ...

Vokabeln

near	*nahe*
dear	*lieb, teuer*
fear	*Angst*
war	*Krieg*
to be over	*vorbei sein*

Workshop: Akkord Gm

Ergänze die fehlenden Notennamen im ersten Takt und singe/spiele, auch mit anderen Akkorden im Wechsel.

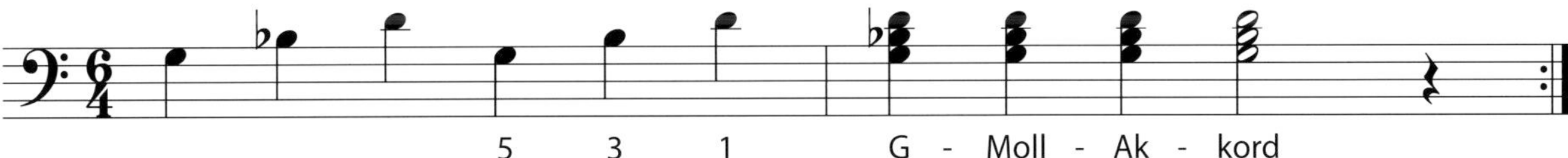

Workshop: Tonleitern und Tonarten

1. Notiere die Tonleitern beginnend bei G-Dur.
2. Ergänze die Vorzeichen und benenne die Tonleitern.

Zusatzaufgaben:

Bearbeite im *Music Theory Summit* die Aufgabe *Taktart* auf Seite 130 und *Tonarten/Tonleitern* auf Seite 131.
Spiele den *Keyboard-Percussion-Parcours* G auf Seite 129.

Klassenensemble

Strophe/Coda

1/25 C Dm 5/29 G

Choir I: War is o - ver if you want it. War is o - ver

Choir II

Glockenspiel – *nur Strophe*

Strings

Tubular Bells

Finger E-Bass

Standard Kit – *Bell Tree*

Folk Guitar – **Strophe/Coda** – C Dm G – *simile*

7/31 C 9 F Gm

Ch. I: now. **Fine** War is o - ver if you want it.

Ch. II

Gl.

Str.

Tub. Bells

E-B.

Dr.

Gt. – C F Gm – **Fine**

Refrain
C
F
B♭
War is o - ver now.
Strings
Ch.
I
II
Gl.
Str.
Tub. Bells
E-B.
Dr.
Gt.
Gm
G
Choir
Coda: D. C. al Fine
Coda: D. C. al Fine

Santa Claus Is Coming To Town

M: Fred Cots, T: Haven Gillespie

Solo: Split Play

1 *LH:* Acoustic Bass • *RH:* Sweet Tenor Sax • *Style:* Christmas Swing • *Tempo:* ♩ = 126 • *Software:* User 004, Bank 5/6
2 *LH:* Acoustic Bass • *RH:* Brass

1 Intro C G7

1. You

Strophe

C C7 F F♯dim7 C C7 F Fm

bet - ter watch out, you bet - ter not cry, bet - ter not pout, I'm tell - ing you why:
mak - ing a list and check-ing it twice, gon - na find out who's naugh-ty and nice:

C Am Dm G7 C 1. G7 2. G7 2 C

San - ta Claus is com - in' to town. He's He

Refrain

C F C F

sees you when you're sleep - in', he knows when you're a - wake, he

D7 G G♯dim7 Am D7 G7 1

knows if you'vebeen bad or good, so be good for good-ness sake. Oh!

Coda C

town.

D. S. al ⊕ – ⊕ Coda

Vokabeln

watch out	*aufpassen*	checking it twice	*prüft sie zweimal*	naughty	*ungezogen*
pout	*schmollen*	for goodness sake	*um Himmels willen*		

Klassenensemble

Klassenensemble Seite 2/3

TSax
Tp.
Trb.
J-Gt.
B.
Dr.
Pno.
Am
Dmaj7
D7
Gmaj7
G7
Am7
D7
G7#5
D. S. al 𝄌 – 𝄌 Coda

𝄌 Coda
TSax
Tp.
Trb.
J-Gt.
B.
Dr.
Pno.
C
Dm
D♯dim7
C

Sounding Picture II *Helmut W. Erdmann*

Klassenensemble

Software: User 004, Bank 7/8

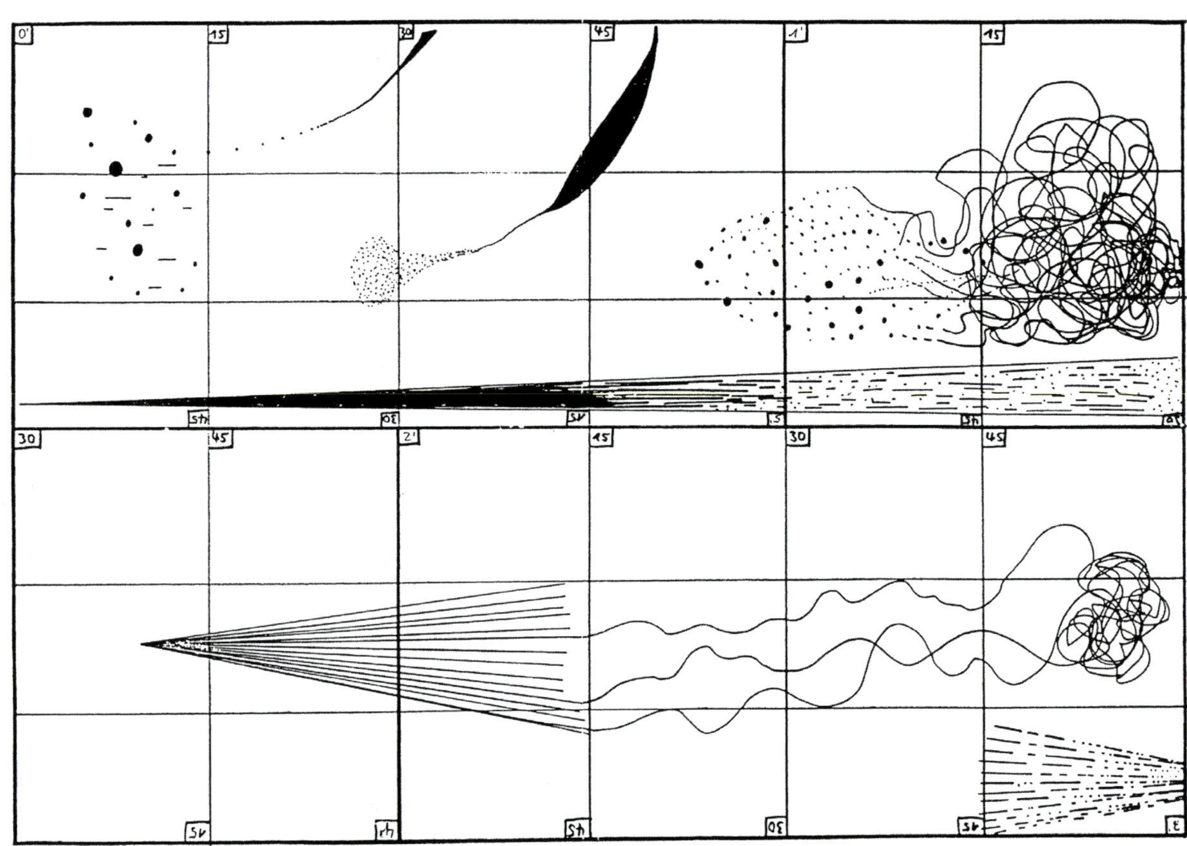

Workshop: Grafische Notation und Komposition

Zeitgenössische Komponistinnen und Komponisten notieren ihre Musik oft in einer grafischen Partitur.

1. Benenne Unterschiede zwischen der grafischen Partitur des Komponisten Helmut W. Erdmann und einer klassischen Notation.

2. Benenne die Möglichkeiten, die dein Keyboard zum Musizieren einer grafischen Partitur bietet.

3. Erarbeite mit deiner Nachbarin / deinem Nachbarn für eine der Figuren eine Interpretationsidee. Musiziert diese gemeinsam auf eurem Keyboard. Vergleicht anschließend eure musikalischen Ergebnisse.

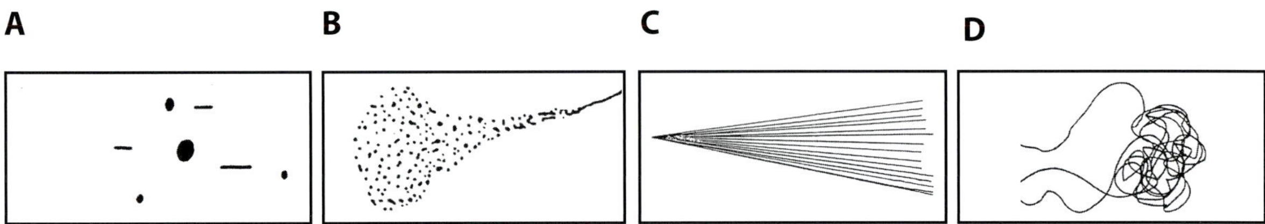

4. Musiziert Erdmanns *Sounding Picture II* im Klassenorchester. Teilt euch dazu ggf. gruppenweise die grafische Partitur in verschiedene Abschnitte auf.

5. Komponiere dein eigenes Musikstück. Vermerke dazu in einer eigenen grafischen Partitur, wer wann spielt und wie der Klang musiziert werden soll. Verwende dazu ggf. auch Buntstifte. Erfinde für deine Komposition einen aussagekräftigen Titel.

____

(Titel des Musikstücks)

6. Welche zusätzlichen Möglichkeiten bietet eine grafische Partitur im Vergleich zur klassischen Notation?

Scherzo *Joseph Haydn*

© Helbling

Solo: Voice Play

1 *LH/RH:* Piano • *Tempo:* ♩ = 126 • *Software:* User 005, Bank 1/2
2 *LH/RH:* Piano + Strings

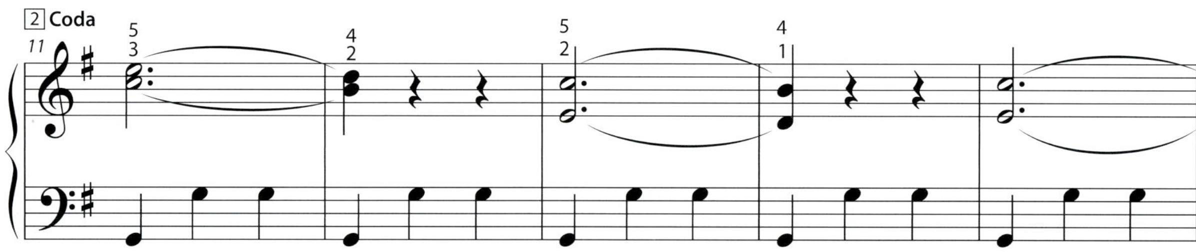

Thema B (Lehrerstimme)

rit.

D. C. (Thema A)

D. C. al Coda

Workshop: Artikulation

Aufeinander folgende Töne können ganz unterschiedlich gepielt werden bzw. artikuliert werden, z. B. lückenlos (legato), mit kurzen Unterbrechungen (portato) oder sehr kurz bzw. gestoßen (staccato) mit größeren Pausen zwischen den Tönen. Die verschiedenen Tonverbindungsarten bzw. **Artikulationen** sind ein wichtiges Gestaltungsmittel zur Charakterisierung einer Melodie, ihres fließenden, schreitenden, hüpfenden, springenden oder tänzelnden Ganges.

1. Spiele die G-Dur-Tonleiter zunächst durchgehend *legato*, dann *portato* und *staccato*.

2. In der folgenden G-Dur-Tonleiter sind die Artikulationen abwechselnd notiert.
Unterscheide beim Spiel die Artikulationen deutlich. Achte bei der Ausführung darauf, dass beim Wechsel der Spielart bzw. Artikulation der Rhythmus und das Tempo beibehalten werden.

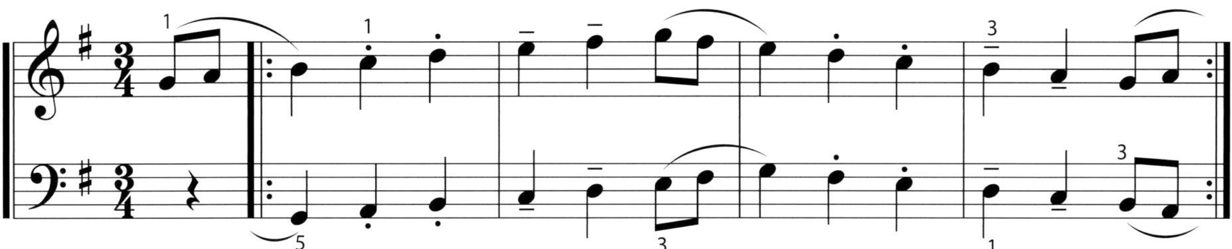

Zusatzaufgaben:

Benenne die Tonleiter des *Scherzo* im *Music Theory Summit* auf Seite 131.

Spiele den *Keyboard-Percussion-Parcours* E auf Seite 128.

Klassenensemble

Coda
Fl.
Ob.
Str.
Hp.
Bs.
Trgl.

Cocaine J.J. Cale / Eric Clapton

Solo: Split Play

1 *LH:* E-Bass • *RH:* Overdrive Guitar | 2 *RH:* Distortion Guitar • *Style:* 8 Beat Rock • *Tempo:* ♩ = 106 • *Software:* User 005, Bank 3/4

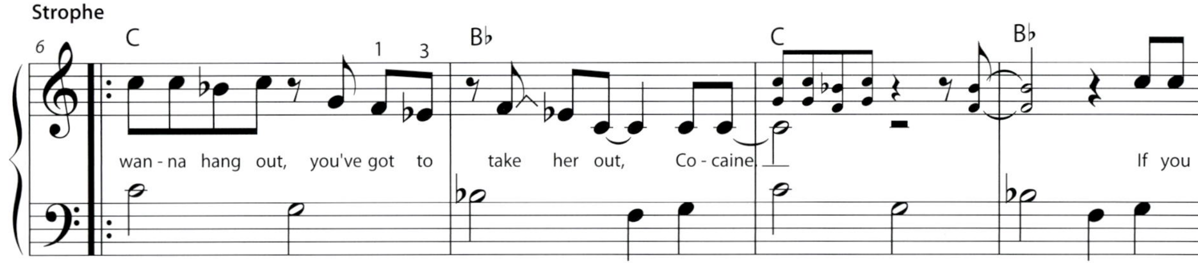

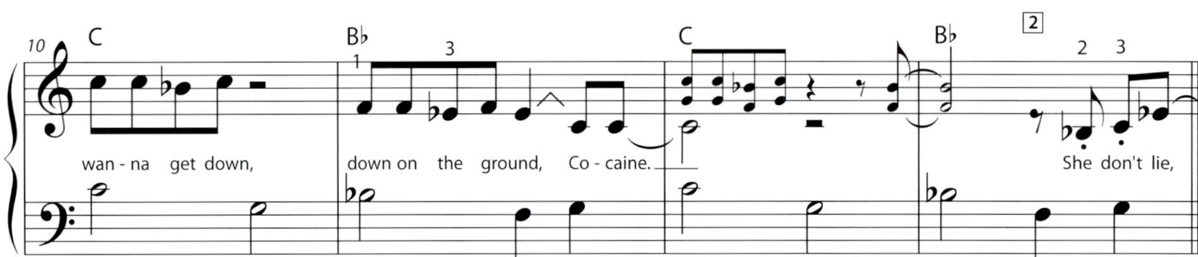

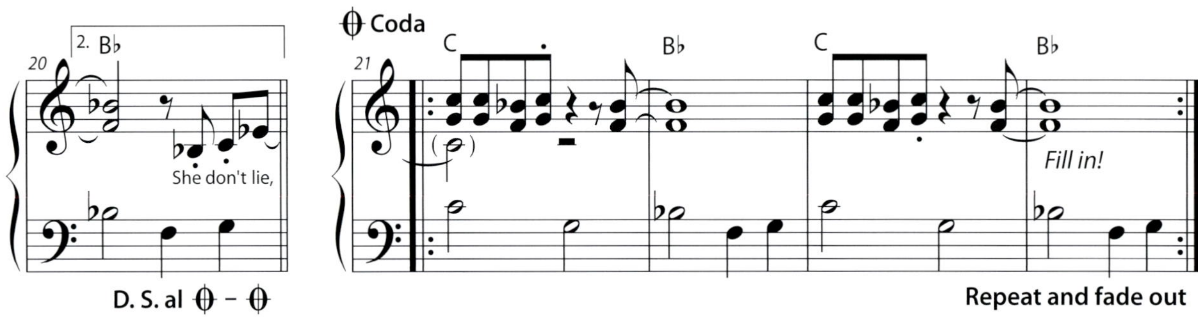

2. If you got bad news, you wanna kick them blues, Cocaine.
When your day is done and you wanna run, oh, Cocaine.

Refrain: She don't lie, ...

3. If your thing is gone and you wanna ride on, Cocaine.
Don't forget this fact, you can't get it back, Cocaine.

Refrain: She don't lie, ...

Klassenensemble

Pattern Intro/Strophe/Coda — 1. — 2. Überleitung Refrain — Pattern Refrain

C | B♭ | B♭ | 14 C | B♭ | A♭ | G

Jazz Organ

60s Clean Guitar

Distortion Guitar

Finger E-Bass

Tambourine

Room Kit

Pattern Intro/Strophe/Coda — 8va — 1. — 2. Überleitung Refrain — Pattern Refrain

C | B♭ | B♭ | 14 C | B♭ | A♭ | G

Split Play

E: 60s Cl. Gt. Vintage Spr.

Workshop: Improvisation – C-Moll-Bluesskala

Spiele die C-Moll-Bluesskala. Benenne die dazugehörigen Tonstufen in römischen Zahlen.

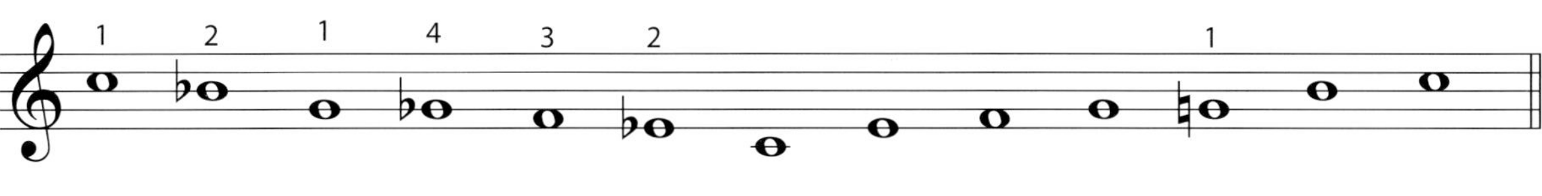

Vokabeln

to hang out (*slang*)	*abhängen*	Cocaine	*Kokain, hier: Frauenname*	to lie	*lügen*
to take someone out	*mit jmd. etw. unternehmen, ausgehen*	to get down (*slang*)	*tanzen gehen*	bad news	*schlechte Neuigkeiten*
				fact	*Fakt, Tatsache*

River Flows In You *Yiruma, Alex Jörg Christensen*

Solo: Split Play

1 *LH:* Synth Bass • *RH:* Piano + Delay • *Style:* Euro Trance • *Tempo:* ♩ = 140 • *Software:* User 005, Bank 5/6
2 *LH:* Synth Bass • *RH:* Piano + Synth Strings

1 **Intro**

Am — Am/F Am/G

Thema

Am F C G

Am F C G *Fill in!*

Am F C G

Am F C G *Fill in!* 2

Bridge/Ending (Retrigger, vgl. Klassenensemble) oder **Solo** – jeweils abwechselnd mit **Thema**

Solo (*ohne Klassenensemble*)

Am
F
C
G
5
Am
F
C
G
3
D. S.

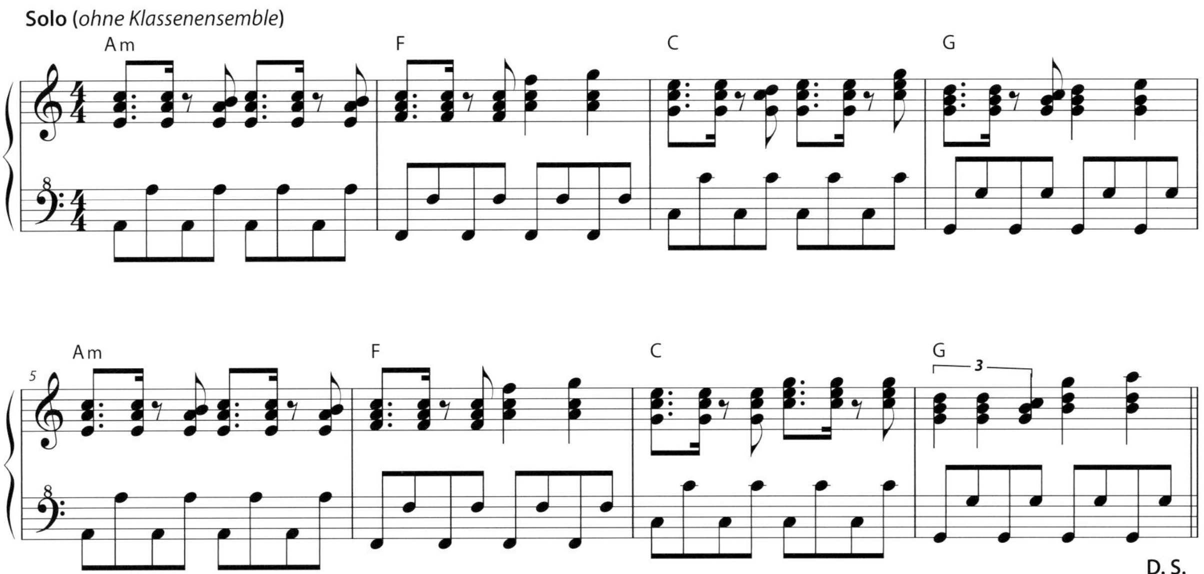

Klassenensemble

Im folgenden Klassenensemble findet ihr für die Songteile jeweils ein Pattern. Transponiert die Stimmen und begleitet in den passenden Harmonien.

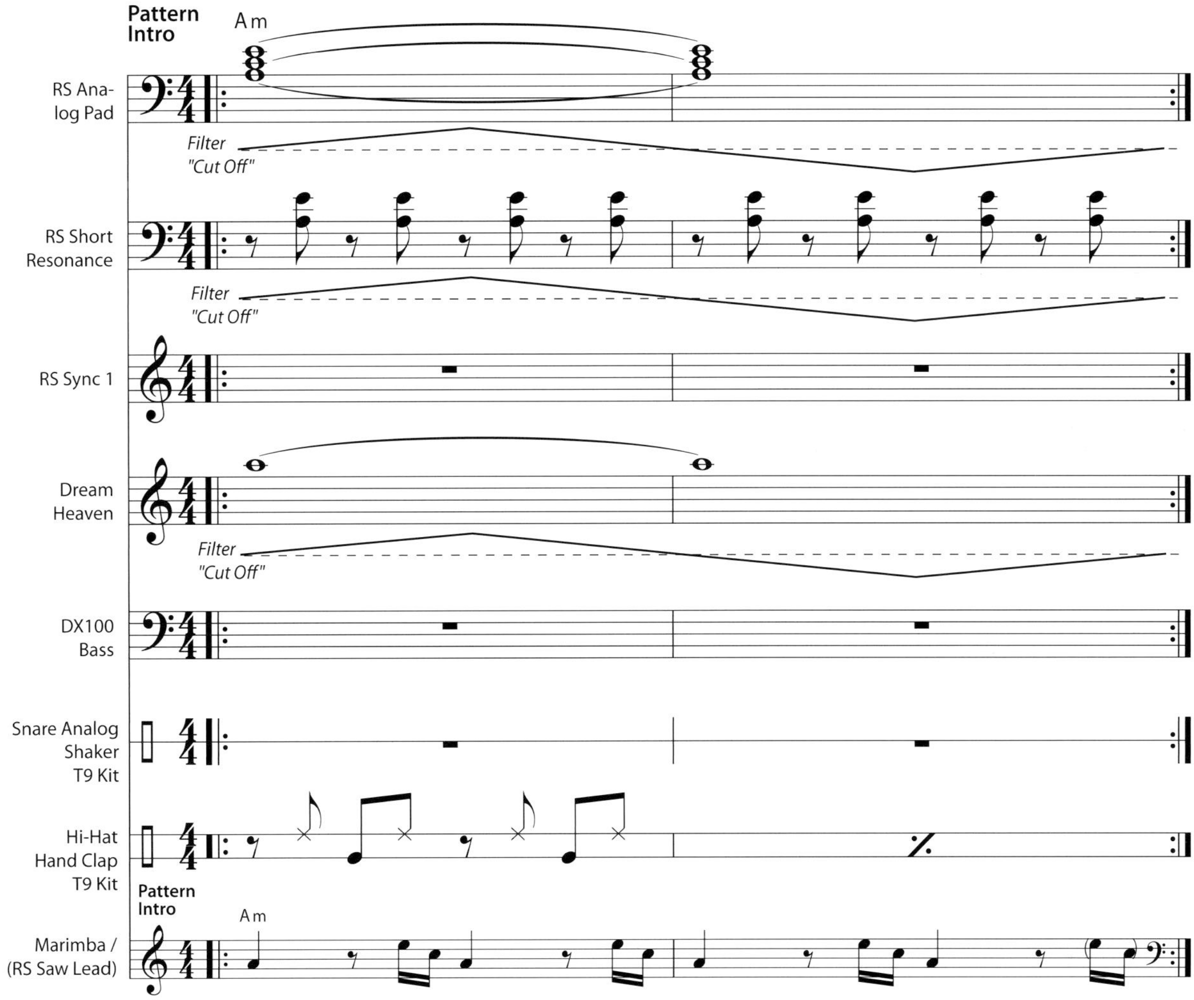
Pattern Intro
Am
RS Analog Pad
Filter "Cut Off"
RS Short Resonance
Filter "Cut Off"
RS Sync 1
Dream Heaven
Filter "Cut Off"
DX100 Bass
Snare Analog Shaker T9 Kit
Hi-Hat Hand Clap T9 Kit
Pattern Intro
Am
Marimba / (RS Saw Lead)

Klassenensemble Seite 2/3

Bridge/Ending – Retrigger

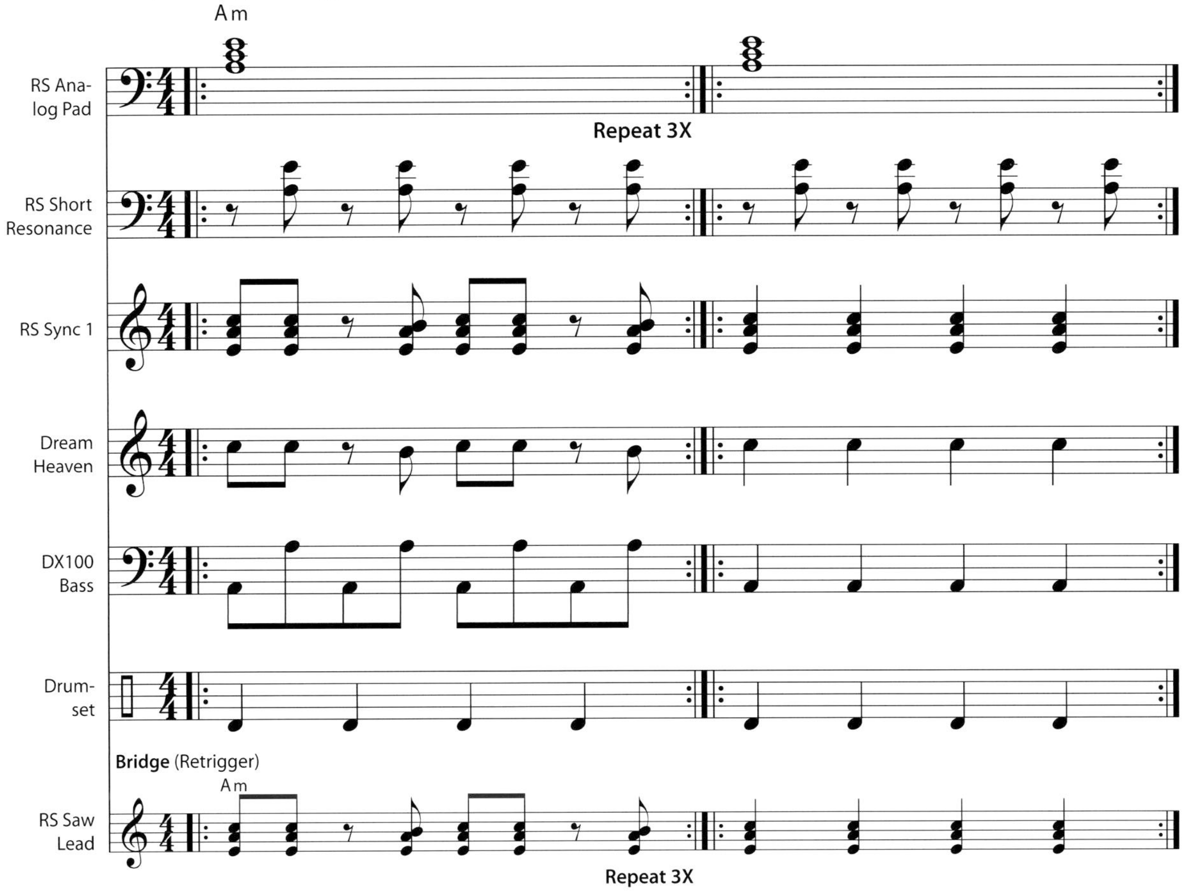
Am
RS Analog Pad
Repeat 3X
RS Short Resonance
RS Sync 1
Dream Heaven
DX100 Bass
Drumset
Bridge (Retrigger)
Am
RS Saw Lead
Repeat 3X

Am
Fill in
G
RS An. Pad
D. S. / Fine
RS Sh. Res.
RS Sy.
Dr. Hvn.
DX Bass
Dr.
Fill in
G
Am
Saw Lead
D. S. / Fine

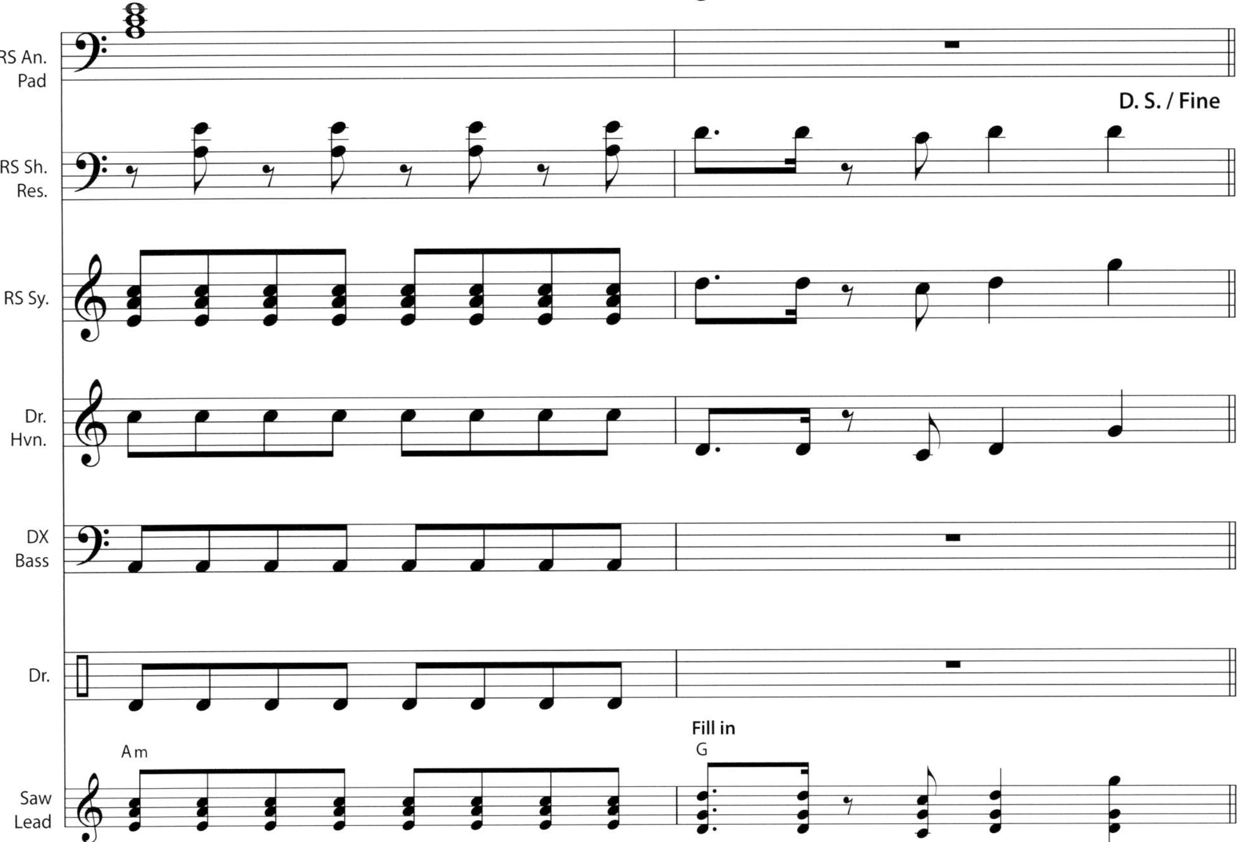

Dreamer *Ozzy Osbourne*

Text u. Musik: Martin H. Frederiksen, Mick Jones

20/53

Solo: Voice / Style Play

1 *LH/RH:* Piano • *Style:* Drums tacet • *Tempo:* ♩ = 80 • *Software:* User 005, Bank 7/8
2 *LH:* ACMP + Piano • *RH:* Piano • *Style:* Piano Ballad
3 *LH:* ACMP + Choir • *RH:* Piano + Strings

1 **Intro** (Voice Play, *ohne Klassenensemble*)

2 **Strophe** (Style Play)

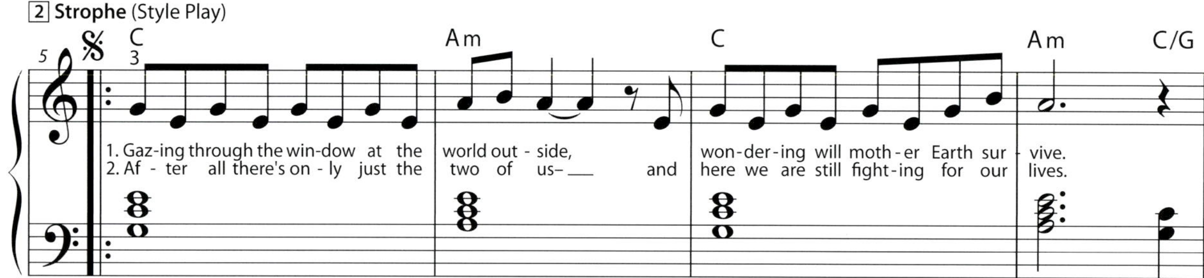

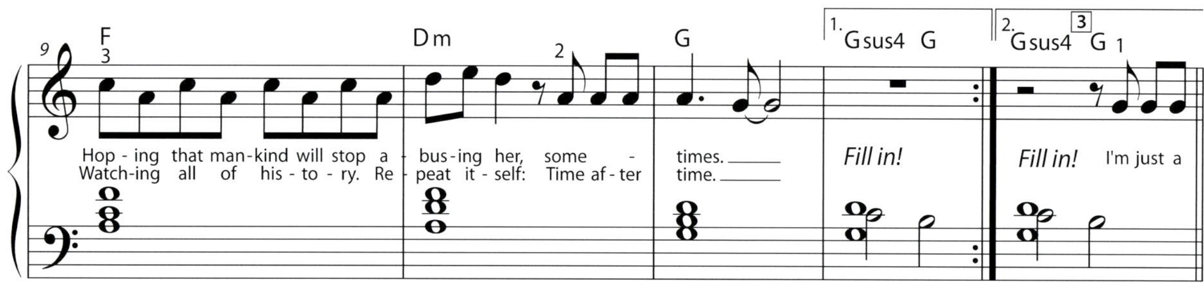

Refrain

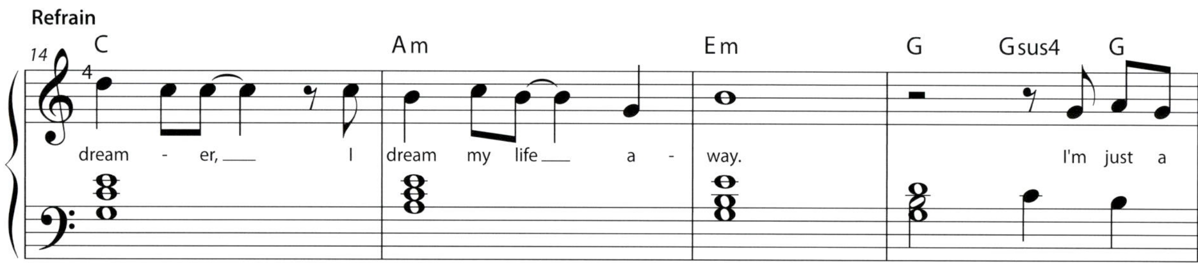

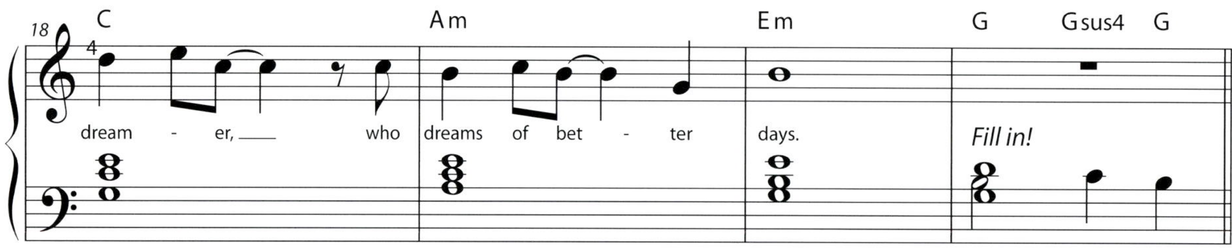

1. Time D.S.

Vokabeln

to gaze through the window	*aus dem Fenster starren*	to abuse	*missbrauchen*	bigotry	*Fanatismus*
to survive	*überleben*	to repeat	*wiederholen*		
		serenity	*Ruhe, Gelassenheit*		

1 **Coda** (Voice Play, *ohne Klassenensemble)*

Strophen
3. I watch the sun go down like everyone of us,
I'm hoping that the dawn will bring a sign,
a better place for those who will come after us,
this time.

4. If only we could all just find serenity,
it would be nice if we could live as one.
When will all this anger, hate and bigotry,
be gone?

Refrain II
I'm just a dreamer
who's searching for the way,
today.

I'm just a dreamer,
dreaming my life away.

Klassenensemble

Intro (*nur Solo-Arrangement*)

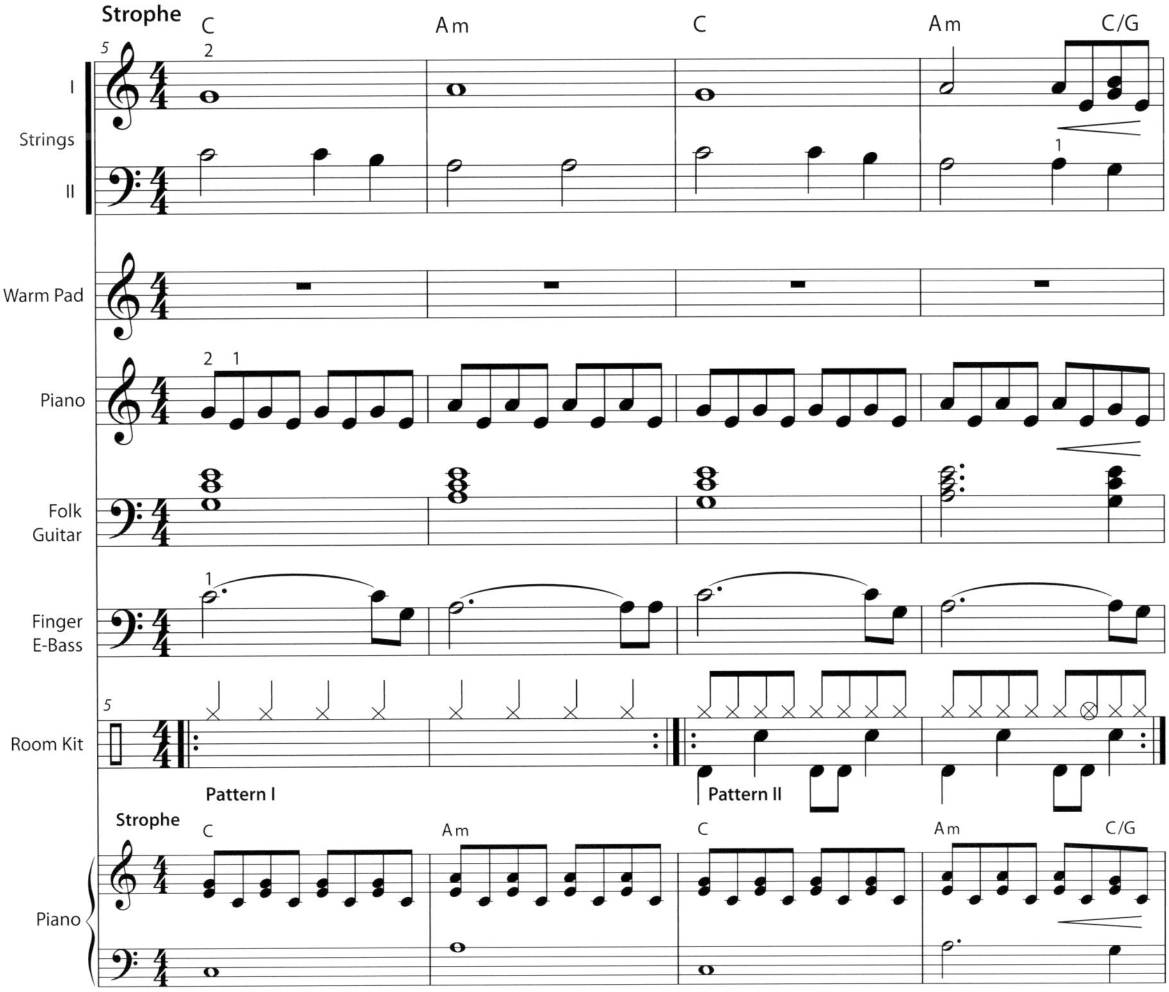

Strophe C – Am – C – Am – C/G

Strings I
Strings II
Warm Pad
Piano
Folk Guitar
Finger E-Bass
Room Kit

Pattern I
Pattern II

Strophe C – Am – C – Am – C/G

Piano

Klassenensemble Seite 2/3

F | Dm | G | Gsus4 G

Str. I, Str. II, Pad, Pno., Gt., E-B., Dr., Pno.

F | Dm | G | Gsus4 G

Workshop: Slash Chords – Artificial Intelligence Fingered Mode™

Spiele die Akkordumkehrungen (Slash Chords) im Wechsel mit anderen dir bekannten Akkorden.

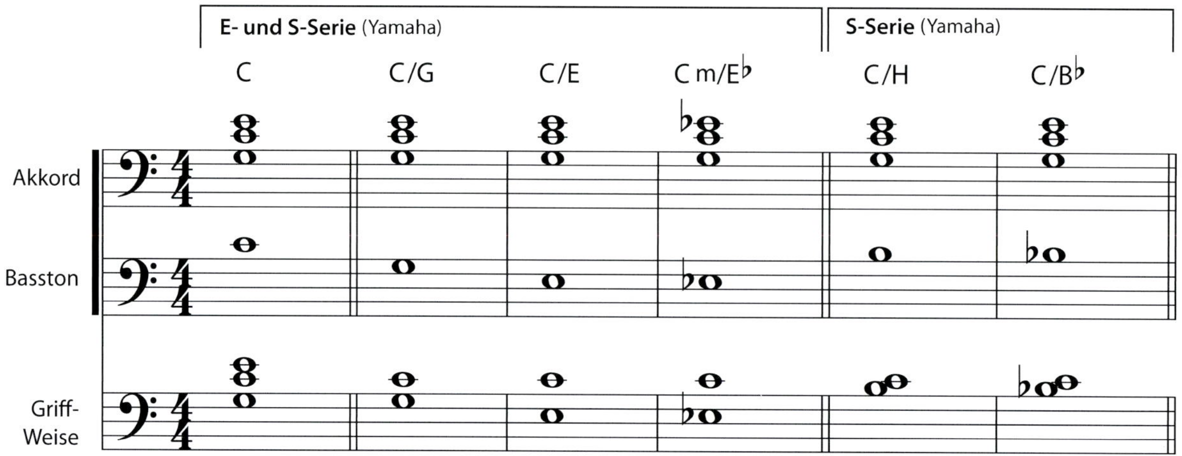

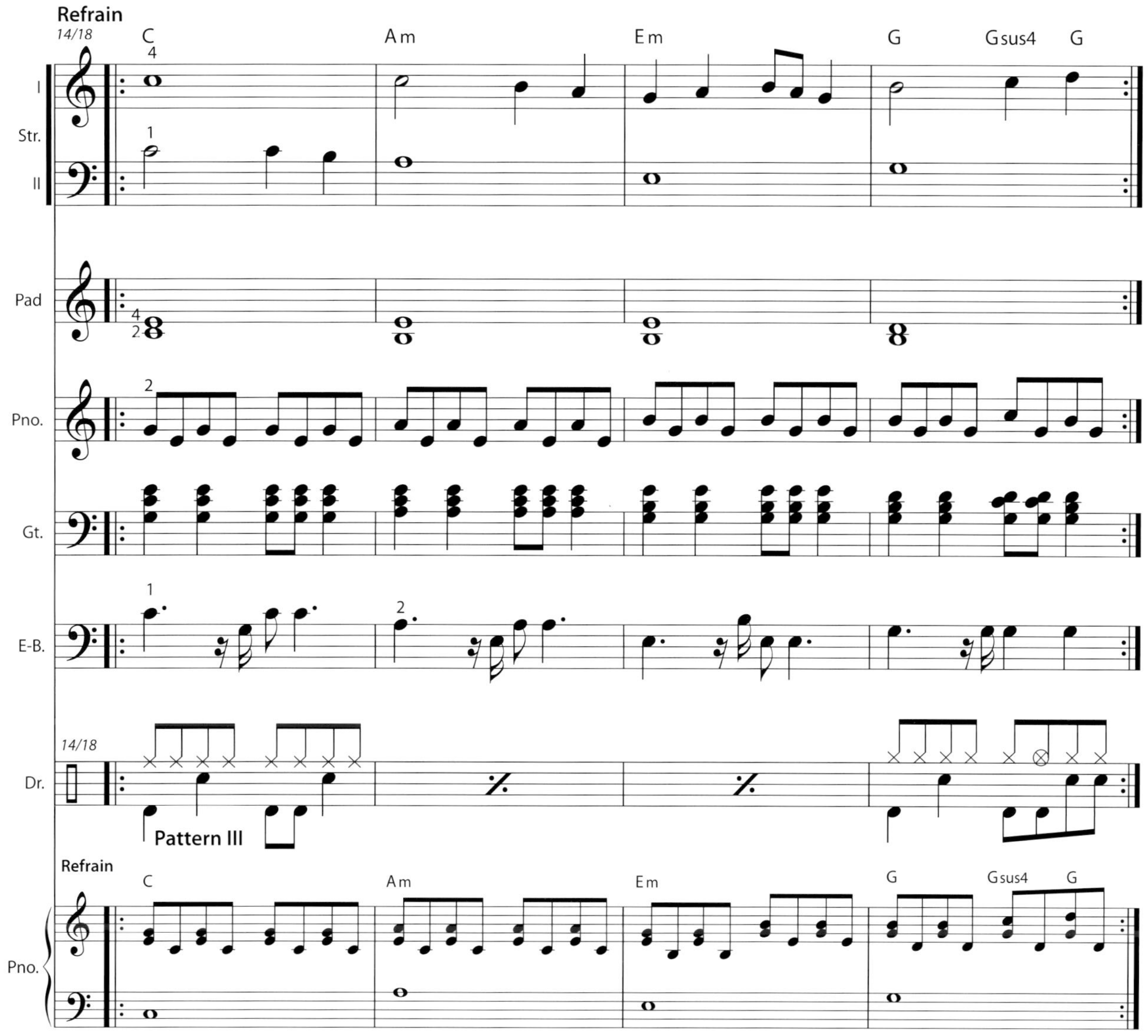

Refrain

14/18

C | Am | Em | G Gsus4 G

Str. I / II

Pad

Pno.

Gt.

E-B.

Dr. 14/18 — Pattern III

Refrain

Pno. C | Am | Em | G Gsus4 G

Coda *(nur Solo-Arrangement)*

Workshop: Suspended Chords – Akkorde mit Vorhalt – Gsus4 und Asus4

1. Ergänze die Namen der Akkordtöne im ersten Takt und singe/spiele – auch im Wechsel mit anderen Akkorden!

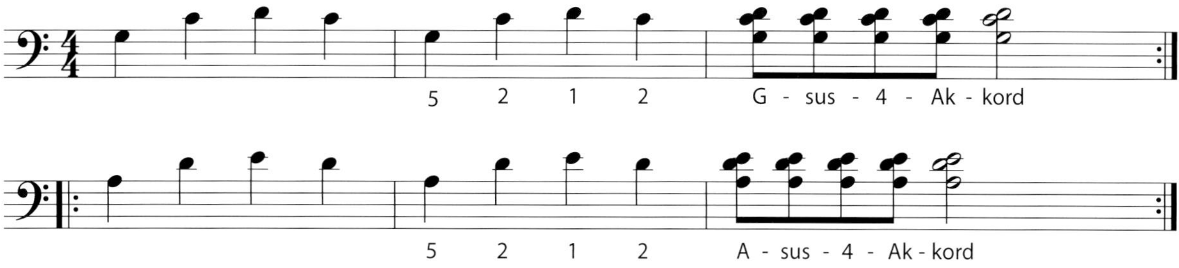

2. Benenne die neuen Akkorde im *Music Theory Summit* auf Seite 131.

Tequila *Danny Flores*

Solo: Split Play

1 *LH:* Classic Guitar (Nylon Str. Guitar) • *RH:* Folk Guitar • *Style:* Mambo • *Tempo:* 𝅗𝅥 = 90 • *Software:* User 006, Bank 1/2
2 *LH:* Classic Guitar (Nylon Str. Guitar) • *RH:* Baritone Sax
3 *LH:* Acoustic Bass • *RH:* Baritone Sax

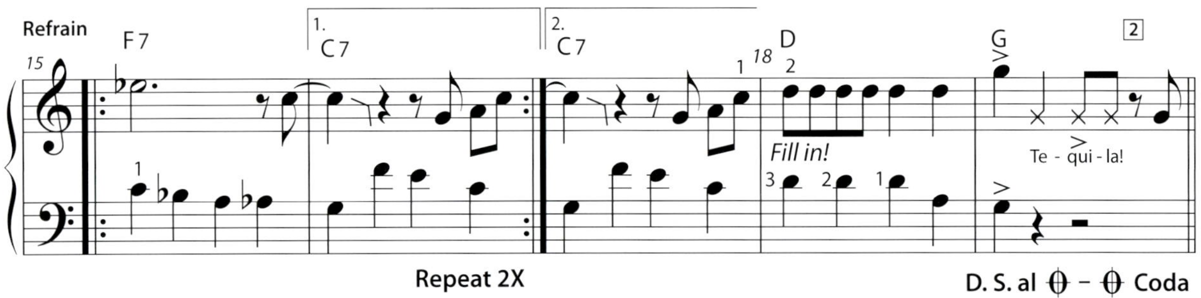

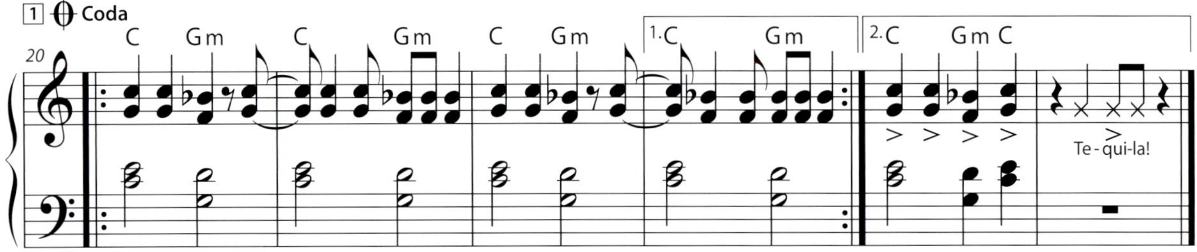

Klassenensemble

Pattern Intro/Strophe/Coda

Intro/Strophe/Coda

C Gm C Gm C Gm C Gm

Baritone Sax

nur Strophe

Jazz Section

Mute Guitar 8va I II

nur D.S.

Classic Guitar

Acoustic Bass

Hand Clap

Ride Cymbal

Standard Kit

Pattern Intro/Strophe/Coda

Intro/Strophe/Coda

C7 Gm7 C7 Gm7 C7 Gm7 C7 Gm7

Acoustic Guitar

Überleitung Refrain
Refrain
1.
2.
C7
Gm
F7/C
C7
C7
Sax
Repeat 2X
JS
I
Gt.
II
Ac. Gt.
Ac. Bs.
H. Cl.
RC
Dr.
Überleitung Refrain
Refrain
C7
Gm7
F7/C
C7
C7
Ac. Gt.
Repeat 2X

D
G
N.C.
Sax
Te - qui - la!
D. C. al 𝄌 – 𝄌 Coda
JS
Gt.
I
II
Ac. Gt.
Ac. Bs.
H. Cl.
RC
Dr.
𝄌 Fortsetzung Coda
C
Gm
C
N.C.
C7
Gm7
C7

Mad World *Roland Orzabal*

22/55

Solo: Voice / Split Play

1 *LH/RH:* Piano • *Style:* 8 Piano Ballad (Pianist) • *Tempo:* ♩ = 88 • *Software:* User 006, Bank 3/4
+ 2 *LH:* Octave Strings • *RH:* Piano | 3 *RH:* Choir

Klassenensemble

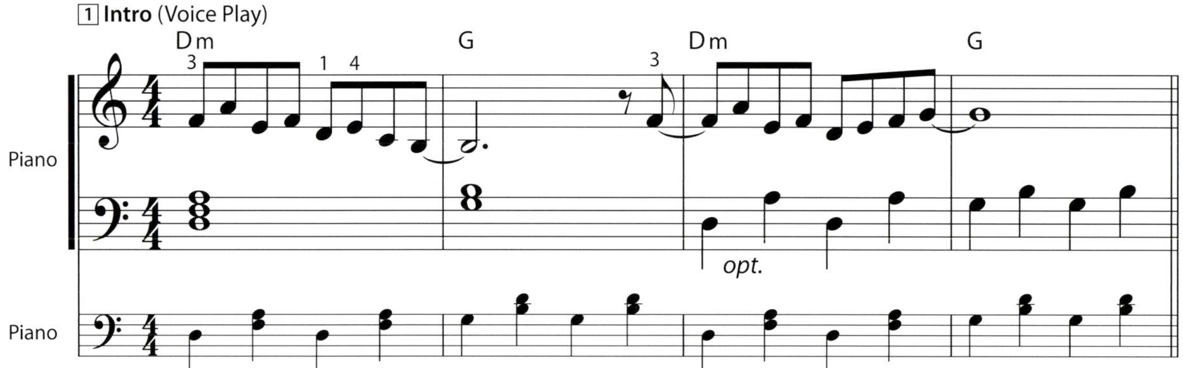

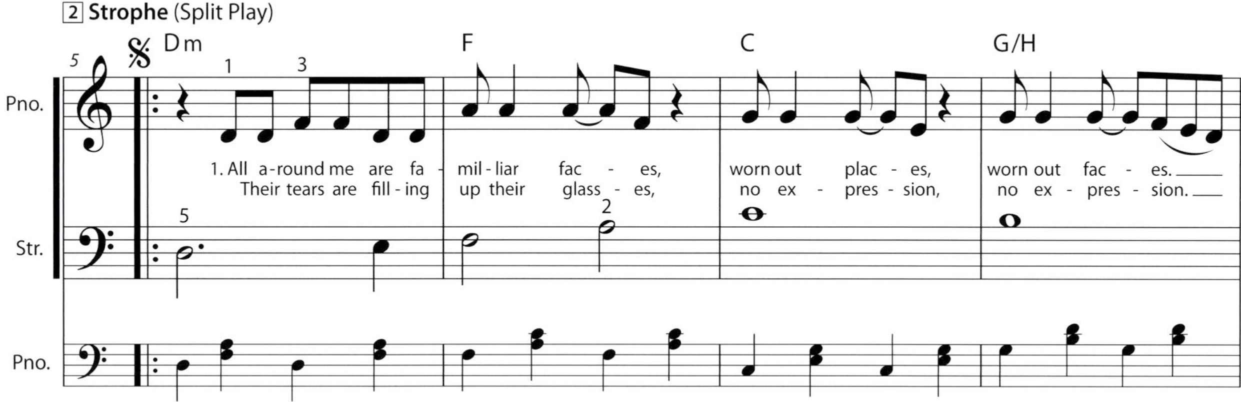

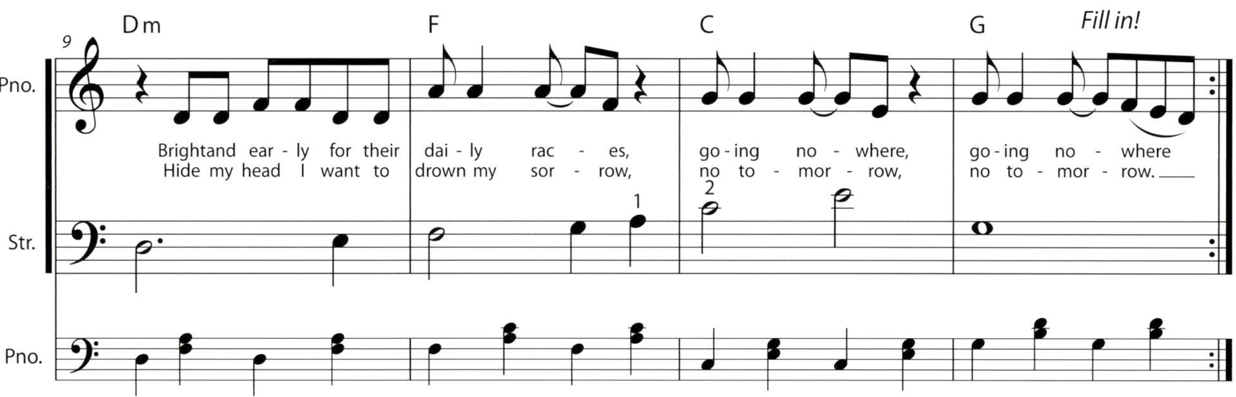

2. Children waiting for the day they feel good,
happy birthday, happy birthday.
Made to feel the way that every child should,
sit and listen, sit and listen.

Went to school and I was very nervous,
no one knew me, no one knew me.
Hello, teacher, tell me what's my lesson,
look right through me, look right through me.

Vokabeln

familiar	*bekannt*	expression	*Ausdruck*	mad	*verrückt*
worn out	*erschöpft, verschlissen*	to drown	*ertrinken/ertränken*		
races	*Rennen*	sorrow	*Trauer*		

Arabesque *Friedrich Burgmüller*

Solo: Voice Play

LH/RH: Piano • *Style:* Arpeggio Pianist Style (Piano Ballad) • *Tempo:* 𝅗𝅥 = 88 • *Software:* User 006, Bank 5/6

Am Am Dm Am
p *p* *cresc.* 8va

7 C G7 1. C E 2. C

12 E Am E Am
f
Ped. ✻ Ped. ✻ Ped. ✻ Ped.

16 A Dm E
rit.
✻ Ped. ✻ Ped. ✻ Ped.

20 Am Dm Am
p *a tempo* *cresc.* 8va
✻

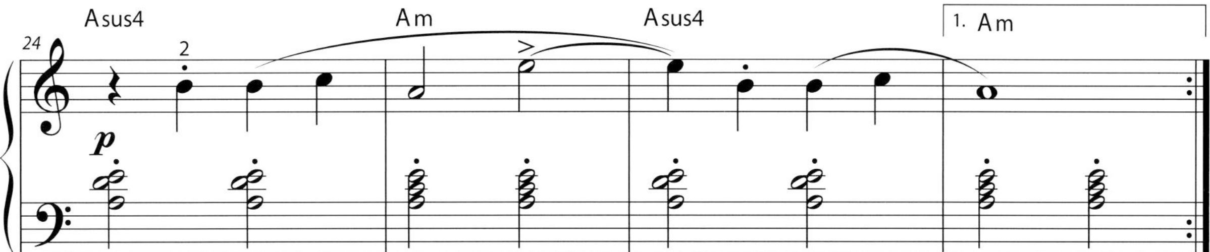

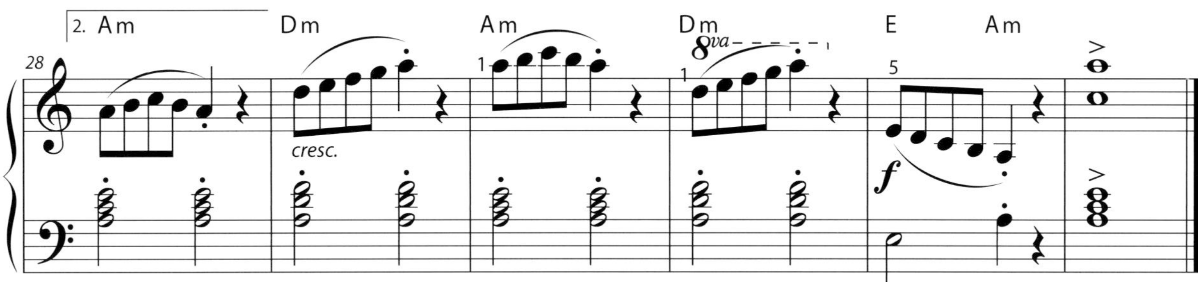

Workshop: Haltepedal

1. Spiele den notierten Ton und drücke anschließend das Haltepedal bzw. den Sustain-Fußschalter. Lass die Taste in der Pause los, während der Fuß auf dem Pedal verbleibt. Schlage den nächsten Ton an und lass zeitgleich das Pedal los. Während die Taste gehalten wird, betätige wieder das Pedal usw. Das klangliche Ergebnis soll eine *legato* gespielte A-Moll-Tonleiter sein.

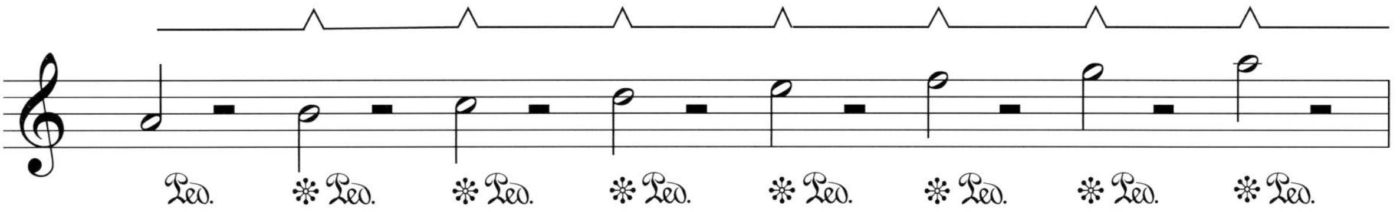

2. Spiele den ersten Akkordton und drücke das Haltepedal. Während des gedrückten Pedals spiele die weiteren Akkordtöne. Beim Spiel des ersten Akkordtons des folgenden Akkords lass das Pedal kurz los und drücke es gleich wieder usw.

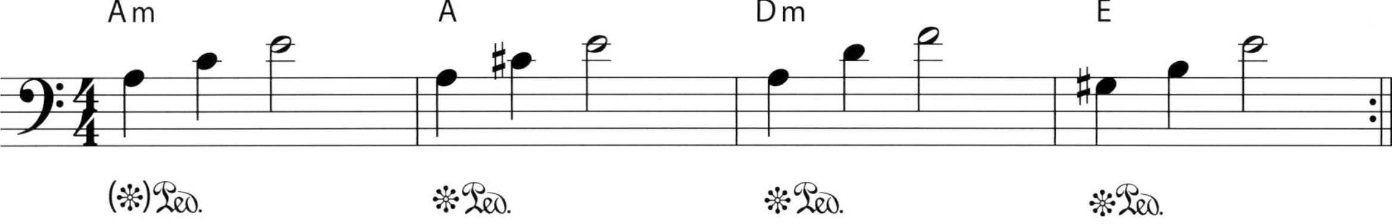

Workshop: Akkorde A, Asus4 und E

1. Ergänze im jeweils ersten Takt die Notennamen und singe/spiele – auch im Wechsel mit anderen Akkorden.

2. Benenne die neuen Akkorde im *Music Theory Summit* auf Seite 131.

Klassenensemble

Tempo: 𝅗𝅥 = 88

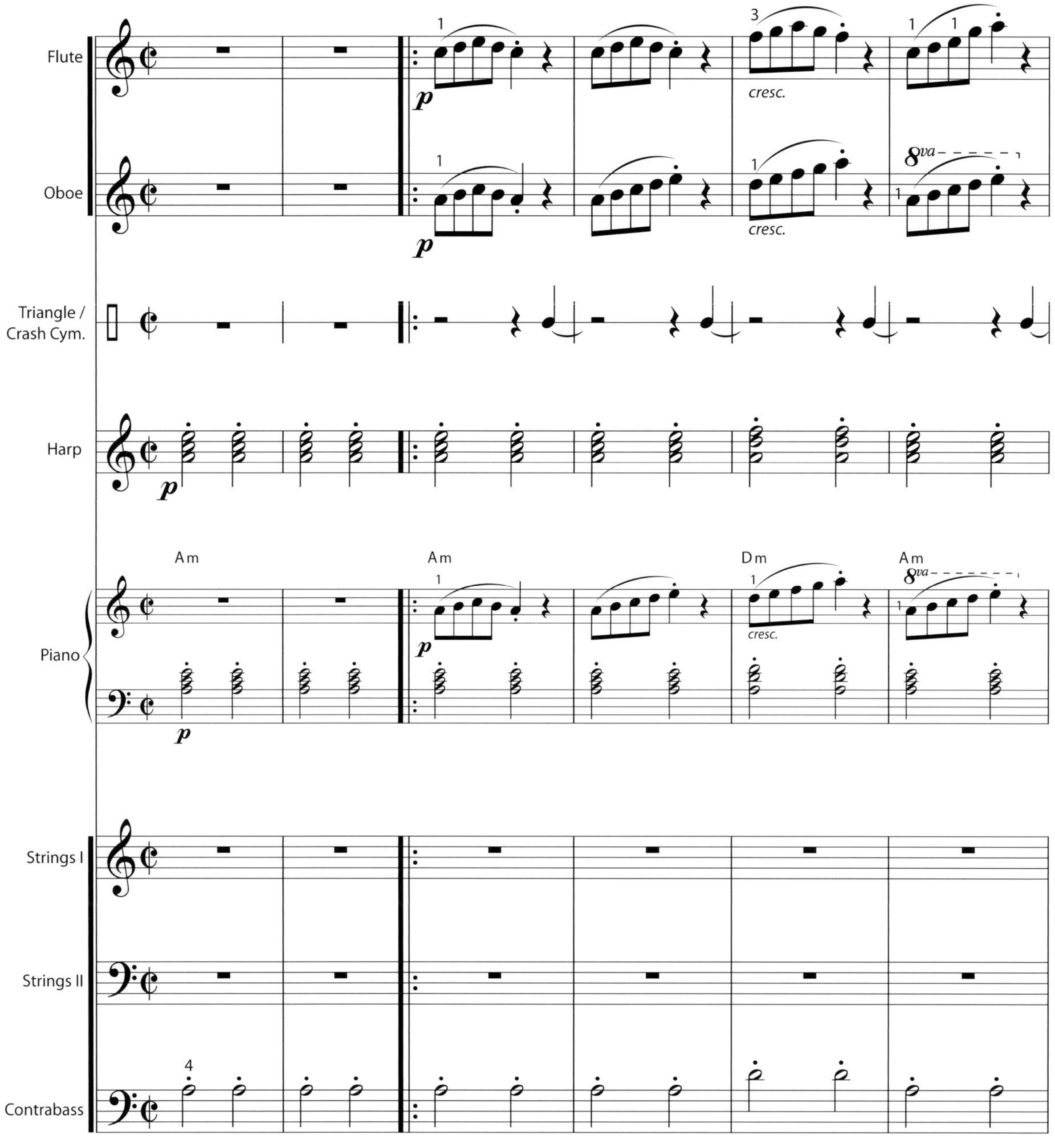

Flute

Oboe

Triangle / Crash Cym.

Harp

Piano

Strings I

Strings II

Contrabass

Am Am Dm Am

cresc.

Fl.
Ob.
Trgl.
Hp.
Pno.
Str. I
Str. II
Cb.
1.
2.
C
G7
C
E
C
mf
mf
E
Am
E
Am
f
Ped.

Fl.
Ob.
Trgl.
Hp.
Pno.
Str. I
Str. II
Cb.
rit.
A
Dm
E
Am
a tempo
mf
p
cresc.
8va

Fl.
Ob.
Trgl.
Hp.
Pno.
Str. I
Str. II
Cb.
Asus4
Am
Dm
E
cresc.
CC
8va

Shake It Off *Taylor Swift*

24/57

Solo: Style / Split Play

Text u. Musik: Taylor Swift, Max Martin, Shellback

1 *LH:* ACMP *oder* Baritone Sax • *RH:* Soprano Sax • *Style:* Shake 8 Beat (8 Beat Pop) • *Tempo:* ♩ = 160 • *Software:* User 006, Bank 7/8
2 *LH:* ACMP *oder* Trumpet • *RH:* Soprano Sax + Strings

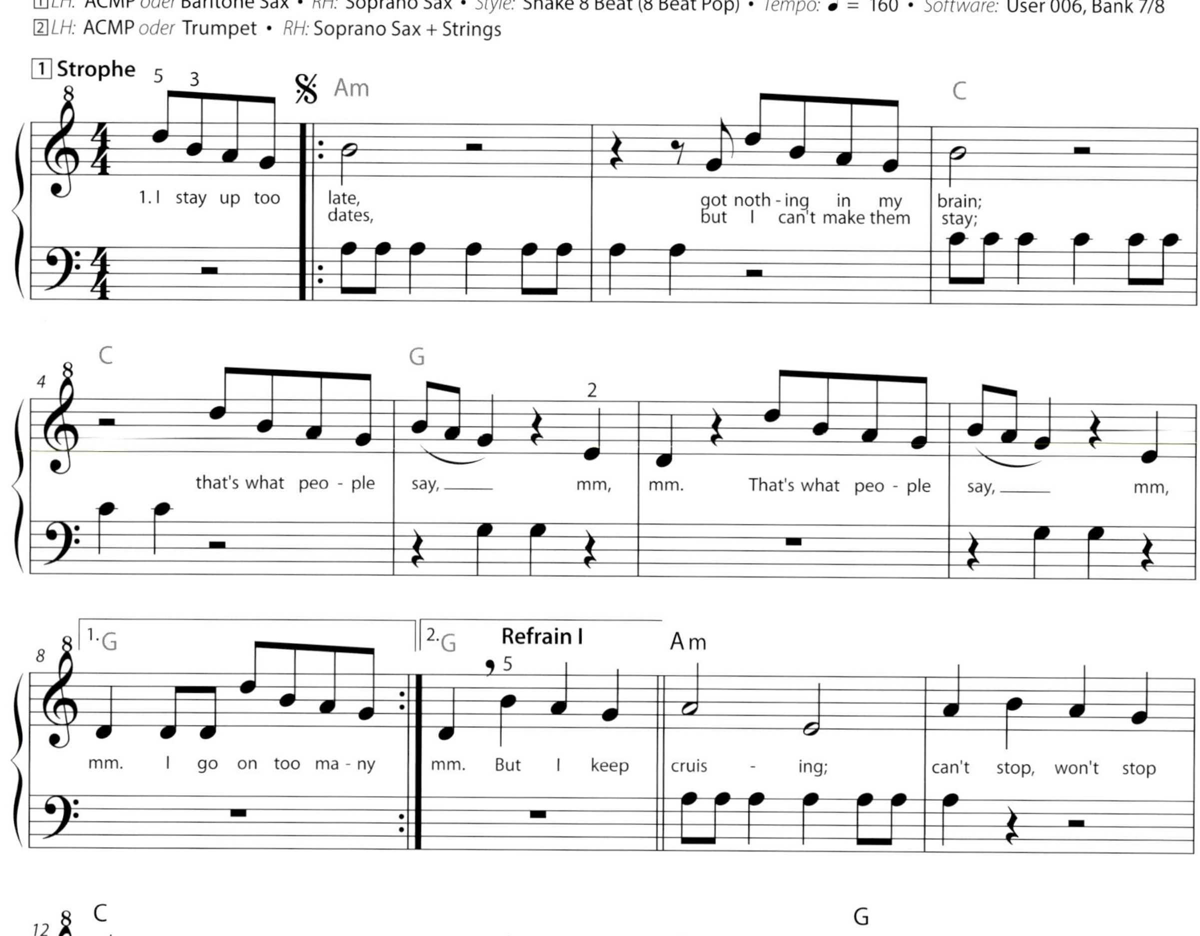

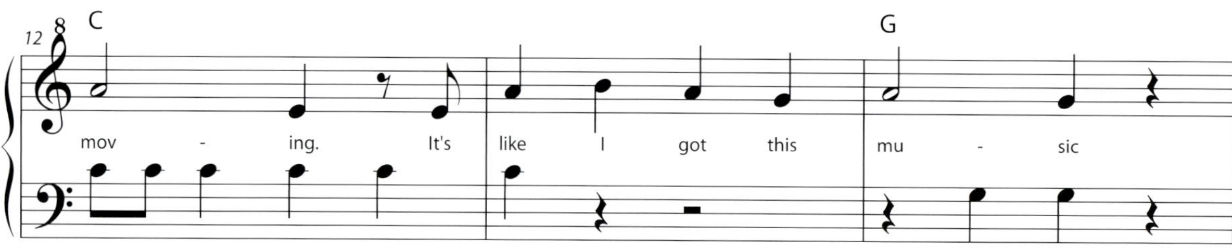

Refrain II

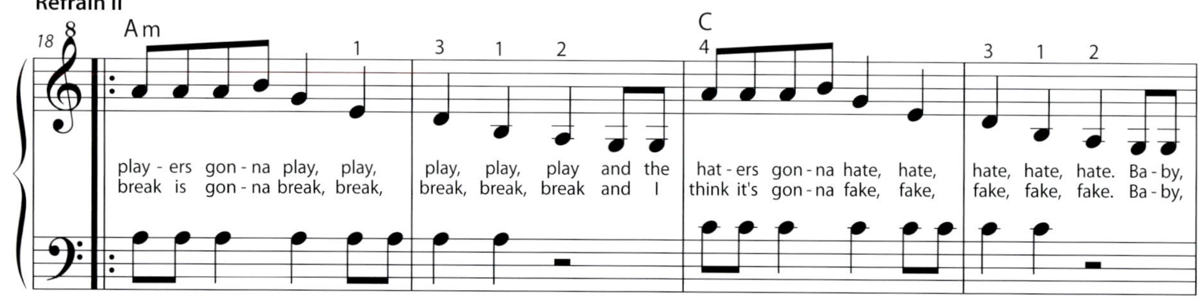

D. S. al 𝄌 – 𝄌 Coda

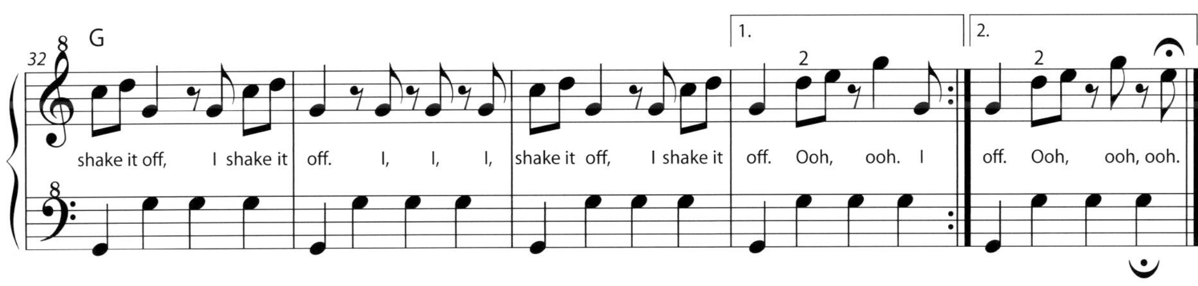

2. I never miss a beat,
I'm lighting up my feet.
And that's what they don't see,
that's what they don't see.

I'm dancing on my own,
I make the moves up as I go.
And that's what they don't know,
that's what they don't know.

Refrain I
But I keep cruising ....

Refrain II

Gesprochen
Hey, hey, hey!
Just think: While you been getting down
and out about the liars
and the dirty, dirty cheats of the world,
you could have been getting down to this, sick beat!

Rap
My ex-man brought his new girlfriend,
she's like, „Oh my god!"
But I'm just gonna shake.
And to the fella over there with the hella good hair,
won't you come on over, baby?
We could shake, shake, shake.

Vokabeln

to stay out late *lange weg bleiben*
brain *Gehirn*
to make someone stay *jemanden zum Bleiben bringen*
liars *Lügner*
bought *gekauft*
to never miss a beat *ohne zu zögern*
to be lightning on my feet *„wie ein Blitz unterwegs sein"*
to dance on one's own *alleine tanzen*
to make something up as one goes *etwas währenddessen erfinden, improvisieren*

Klassenensemble

Strophe/Refrain/Coda

Am C

Brass Sect./ (Choir) — *ab T. 18*

RS Analog Pad — *ab T. 10*

Sax Ensemble

Finger E-Bass — *ab T. 10*

Cuica Hand Clap — *ab T. 10*

Room Kit

Strophe/Refrain/Coda

Am9 C6

Analog Pad — *ab T. 18*

G

Br./Ch. — Choir

Pad

SaxEns

E-B.

Cui. HC — *T. 16 Break*

Dr. — *T. 16/17 Break*

G9

Pad

Tom Tom Kit *Stagge / Sterzik*

© Helbling

Klassenensemble

LH/RH: Power Kit • *Tempo:* ♩ = 120 • *Software:* User 007, Bank 1/2

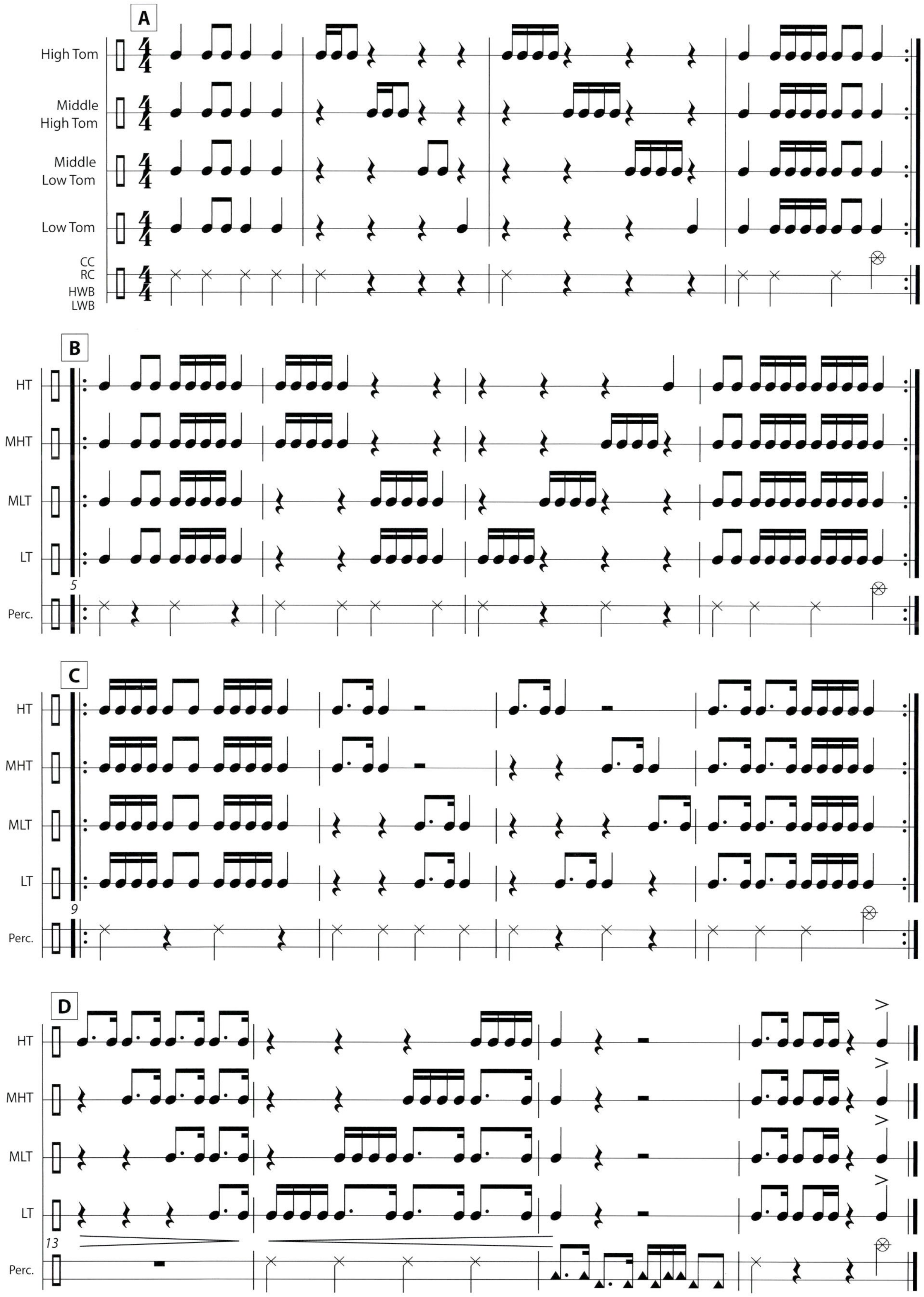

A

High Tom
Middle High Tom
Middle Low Tom
Low Tom
CC RC HWB LWB

B

HT
MHT
MLT
LT
5
Perc.

C

HT
MHT
MLT
LT
9
Perc.

D

HT
MHT
MLT
LT
13
Perc.

Pachelbel-Kanon *Johann Pachelbel*

Klassenensemble

Tempo: ♩ = 90 • *Software:* User 007, Bank 3/4

Abschnitt 3

C G Am Em F C F G C

Flute

Abschnitt 2

Clarinet I

Abschnitt 1

Strings

Basso continuo

Pizzicato Strings

Contrabass

C G Am Em F C F G C

Harpsichord

Der Komponist Pachelbel lebte vor rund 300 Jahren. Seinen Kanon komponierte er für drei Violinen und **Basso continuo** (b. c., durchlaufender Bass). Die Akkordbegleitung, auch **Generalbass** genannt, wurde oft auf einem Cembalo gespielt, und zwar in der linken Hand die Bassstimme und in der rechten Hand dazu die passenden Akkorde. Die Bassstimme wurde oft durch ein Bassinstrument, z. B. Gambe oder Fagott, verstärkt.

Zudem bleibt in diesem Stück die Bassstimme immer gleich; das nennt man **Basso ostinato**.

Workshop: Variation

1. Vergleiche die Melodie des *Pachelbel-Kanons* im Abschnitt 1 mit der im Abschnitt 3. Kreise dazu zunächst übereinstimmende Noten ein. Was hat sich verändert?

2. Woher stammen die (anderen) Töne der Melodie im Abschnitt 3? Betrachte dazu ebenfalls die Stimme „Akkorde" in der dritten Notenzeile.

Workshop: Eine Melodie komponieren

Entwickle eigene Melodien zu den Akkorden des *Pachelbel-Kanons*.

1. Wähle dazu zunächst aus jedem Dreiklang der Begleitung jeweils einen Ton aus und notiere diesen als Viertelnote auf den Zählzeiten 1 und 3 in eine der leeren Zeilen (Bleistift).

2. Fülle dann die fehlenden Zählzeiten mit Viertel- und Achtelnoten aus.

3. Musiziert eure Melodie mit Begleitung, indem eine Spielerin / ein Spieler die Begleitakkorde und die / der andere die neue Melodie dazu spielt.

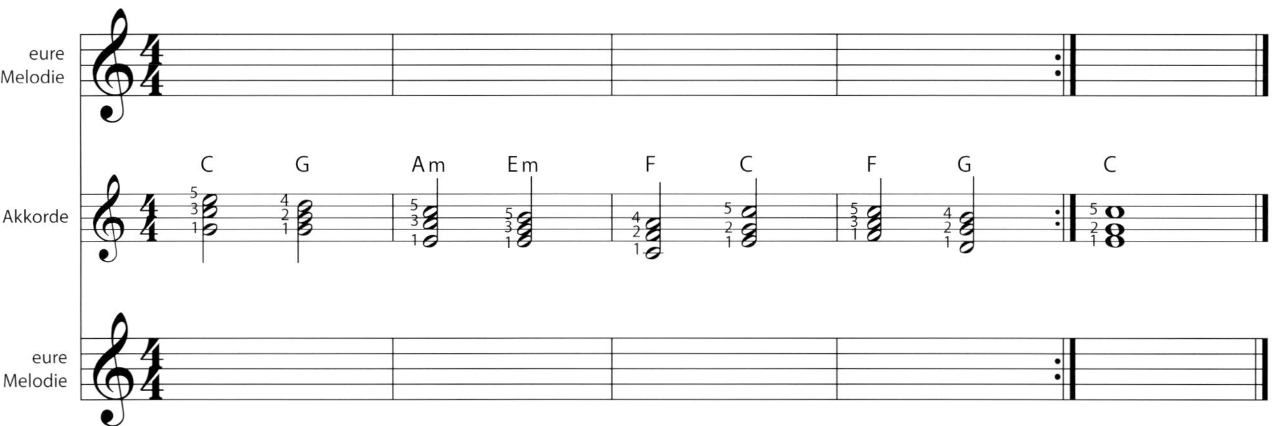

Workshop: Achtel- und Vierteltriolen

Achteltriolen unterteilen Viertelnoten in drei gleiche Einheiten. Man erhält Vierteltriolen ♩♩♩, wenn man Halbe in drei gleiche Einheiten unterteilt. Vervollständige die Takte jeweils mit einer Viertel- bzw. Achteltriolengruppe. Spiele die Rhythmuspatterns mit der *Keyboard Percussion* – zur Vorbereitung von *Will You Be There* auf Seite 93.

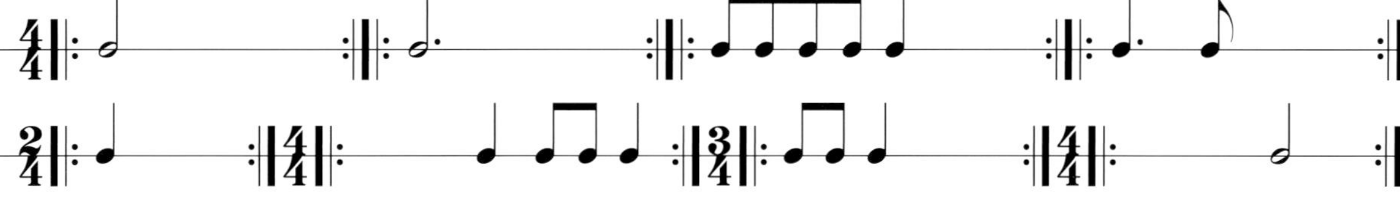

Will You Be There *Michael Jackson*

Solo: Style Play

1 *LH:* ACMP + Cool Galaxy E-Piano • *RH:* Sweet Soprano Saxofon • *Style:* Chillout (Pop) • *Tempo:* 𝅗𝅥 = 83 • *Software:* User 007, Bank 5/6
2 *LH:* ACMP + Cool Galaxy E-Piano (Modern E-Piano) • *RH:* Sweet Soprano Saxofon + Strings
3 *LH:* Choir • *RH:* Piano + Strings

1 **Strophe** (♫ = ♩♪ triplet) *(Intro nur Klassenensemble bzw. nur Begleitung)*

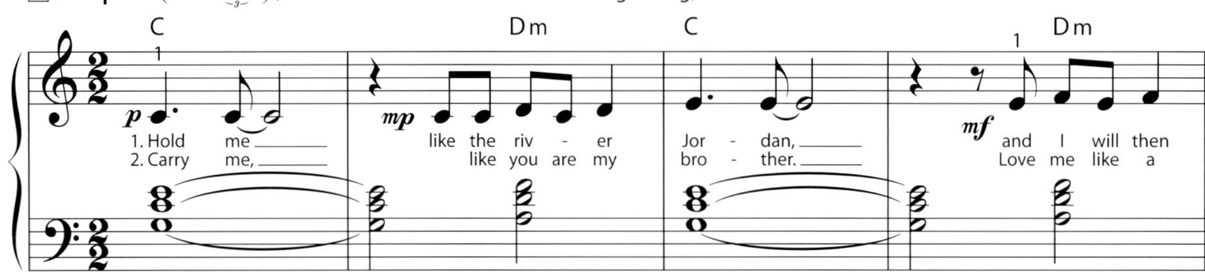

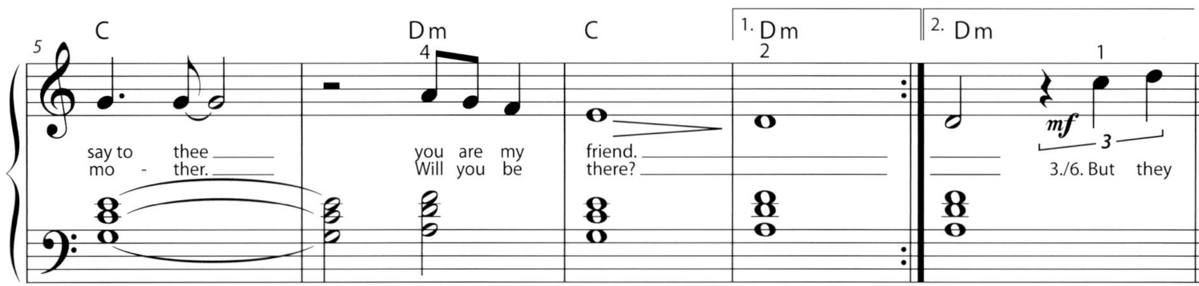

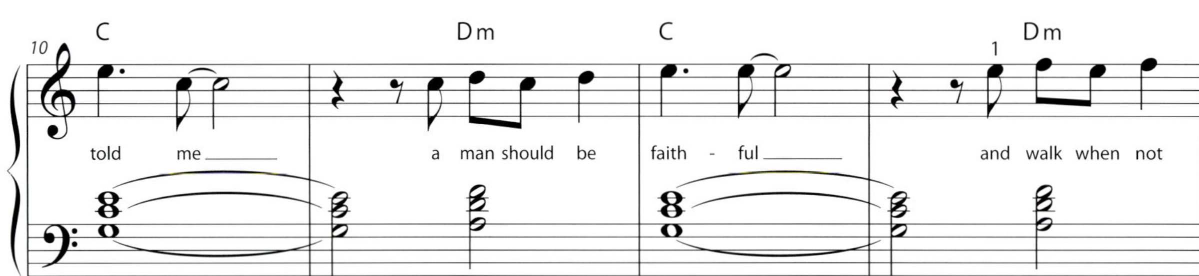

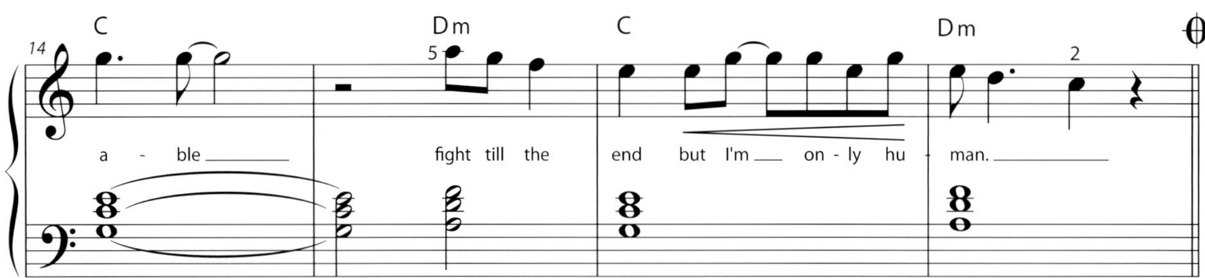

4. Weary, tell me will you hold me
when wrong, will you scold me
when lost will you find me?

5. Hold me, lay your head lowly
softly then boldly carry me there.

6. But they...

(7. Lead me
love me and feed me
kiss me and free me
I will feel blessed.)

Vokabeln

thee	*altertümlich: du (=you)*
weary	*müde, erschöpft*
to scold	*jemanden ausschimpfen*
faithful	*treu*
to take control of somebody	*jemanden fremdbestimmen*
to care	*sich um jdn. kümmern; Zuneigung fühlen*
to bear	*ertragen, tragen*

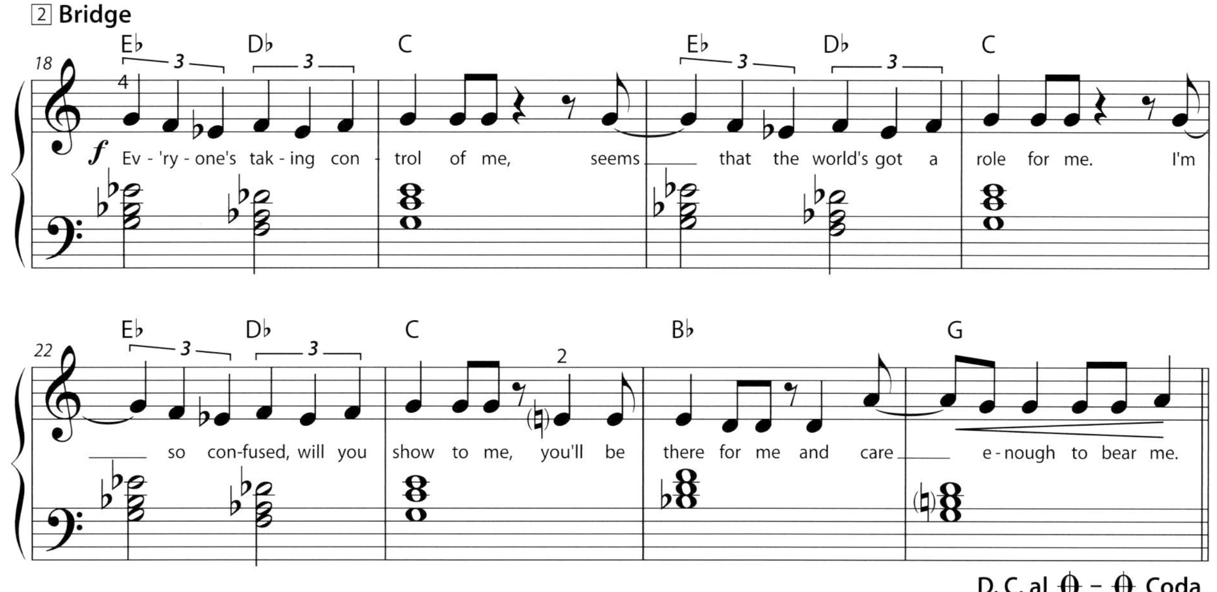

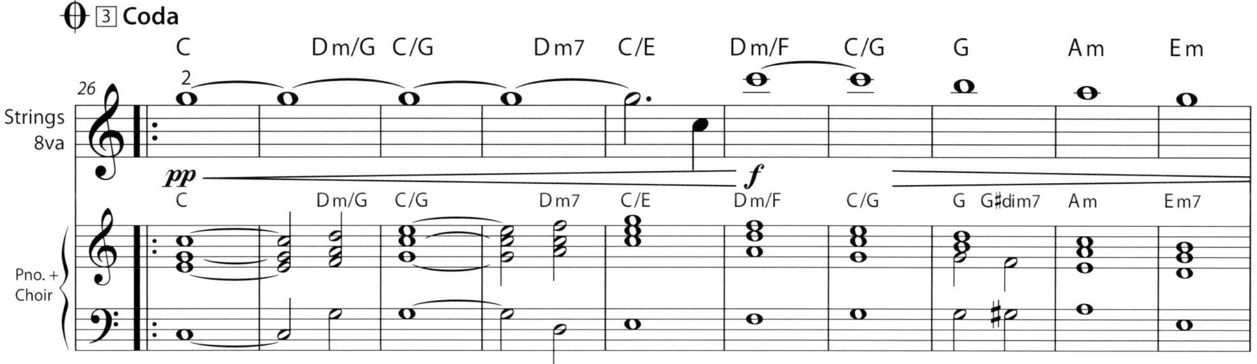

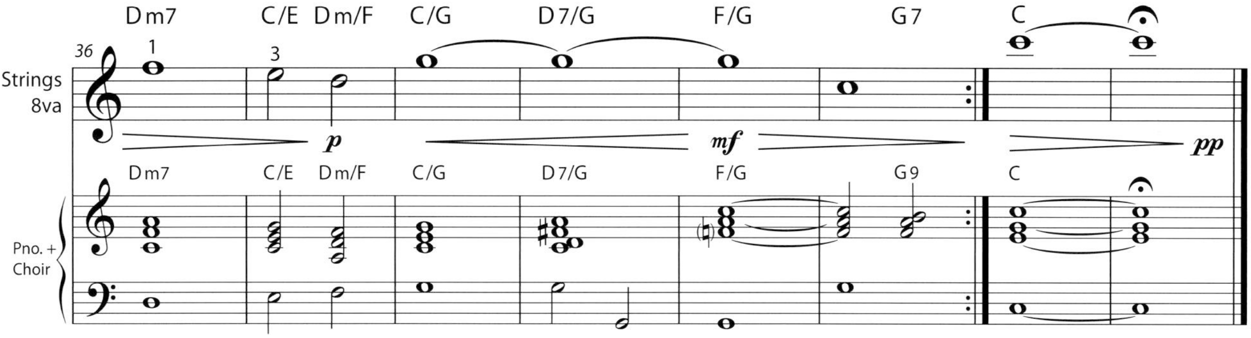

Workshop: Akkorde E♭ und D♭

Ergänze die Namen der Akkordtöne und singe / spiele die neuen Akkorde – auch im Wechsel mit anderen.

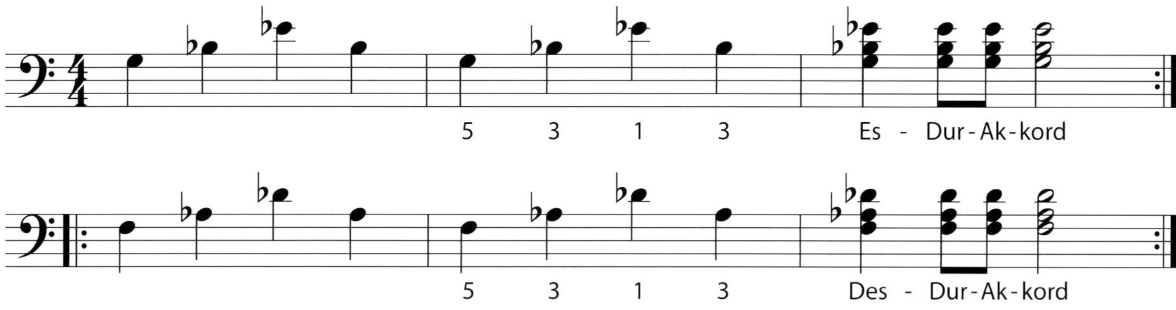

Klassenensemble

Intro / Strophen 1/2/4/5

C Dm C Dm C Dm C Dm

Strings I 8va

Repeat 2X

Choir / (Voc. Hum.)

MIDI Grand

Shaker / (Hand Clap)

Room Kit

Intro / Strophen 1/2/4/5

C Dm/C C Dm/C C Dm/C C Dm/C

Piano

Repeat 2X

Strophen 3/6

C Dm C Dm C Dm C Dm

Str. 8va I II

Ch.

Vocal Hum.

MG

E-B.

Sh.

HC

Dr.

Strophen 3/6

C Dm/C C Dm/C C Dm/C C Dm/C

Pno.

Bridge E♭ D♭ C E♭ D♭ C E♭ D♭ C B♭ G

18

Str. 8va I II

D. C. al 𝄌 – 𝄌

Ch.

Vocal Hum.

MG

E-B.

Sh.

HC

Dr.

Bridge E♭ D♭ C E♭ D♭ C E♭ D♭ C B♭ G

Pno.

D. C. al 𝄌 – 𝄌

𝄌 **Coda** *(nur Solo-Arrangement)*

Workshop: Chromatische Tonleiter

Benenne die Noten und singe / spiele die Tonleitern.

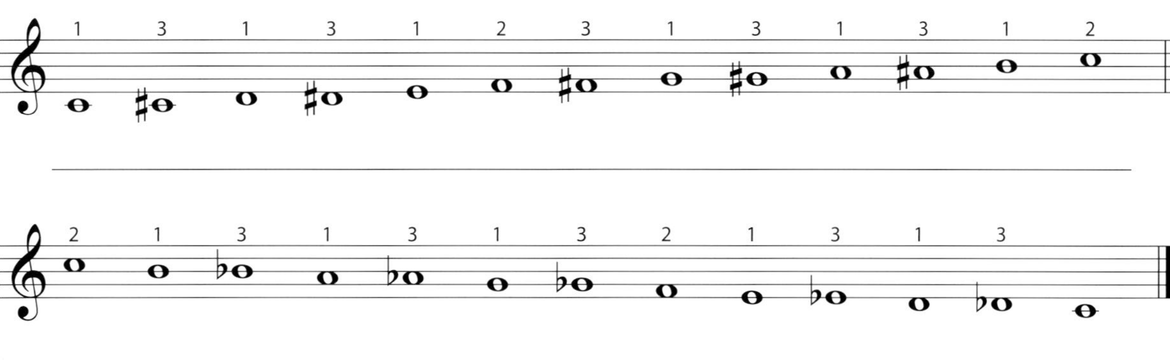

The Black Pearl Pirates Of The Carribean *Klaus Badelt*

Solo: Split Play

LH: Octave Strings • *RH:* Strings • *Style (S-Serie):* Movie Soundtrack • *Tempo:* ♩ = 182 • *Software:* User 007, Bank 7/8

+

Klassenensemble

Refrain
C
1. Dm
2. Dm
Dm
B♭/D
Fl.
Hrn.
Wdh. 8va
Str.
Refr. Dm
Solo
Tom
Sym. Kit
F
Gm
A
mp

Solo und Klassenensemble Seite 3/4

F
Gm
A
Dm
Am
Dm
Fl.
Hrn.
Str.
Solo
Tom
Sym. Kit
Dm
Gm
A7
Dm
ff

Supergirl *Raemonn / Anna Naklab*

Text u. Musik: Uwe Bossert, Raymond Michael Garvey, Mike Gommeringer, Sebastian Padotzke, Philipp Rauenbusch

29/61

30/62

Solo: Style Play

Original *LH:* ACMP + Dark Moon • *RH:* 1 60s Clean Guitar | 2 + Synth Strings • *Style:* Cool 8 Beat • *Tempo:* ♩ = 116 • *Software:* 008 Bank 1/2

Cover *LH:* ACMP + Strings • *RH:* 1 Bright | 2 + Choir • *Style:* Modern Disco • *Tempo:* ♩ = 122 • *Software:* User 008, Bank 3/4

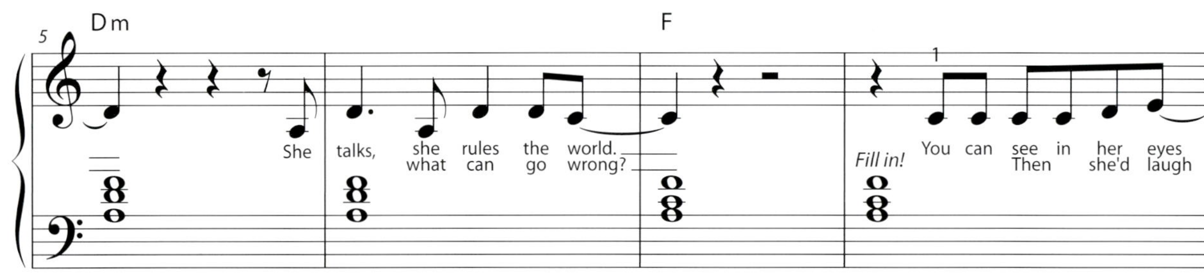

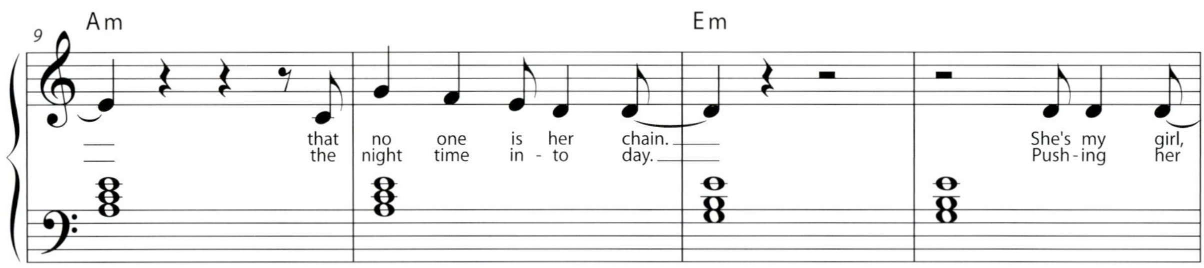

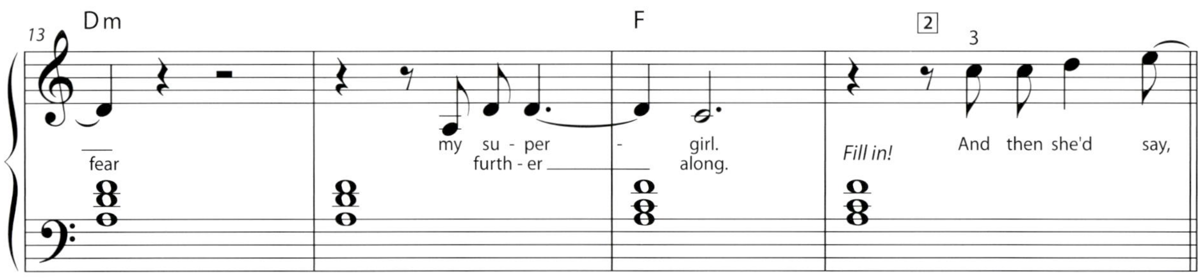

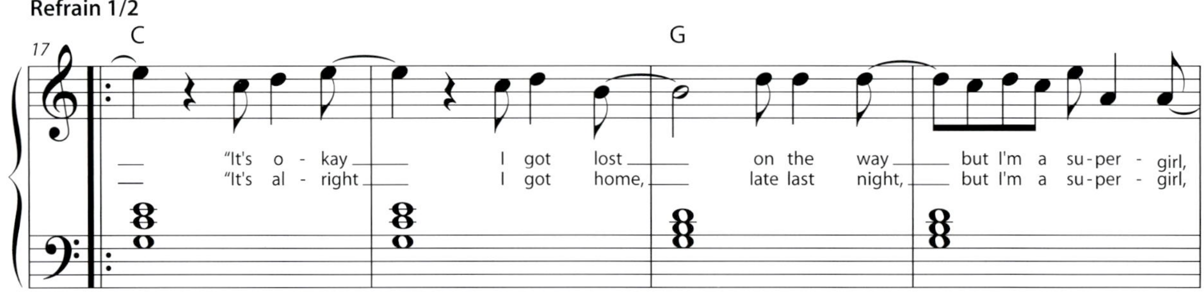

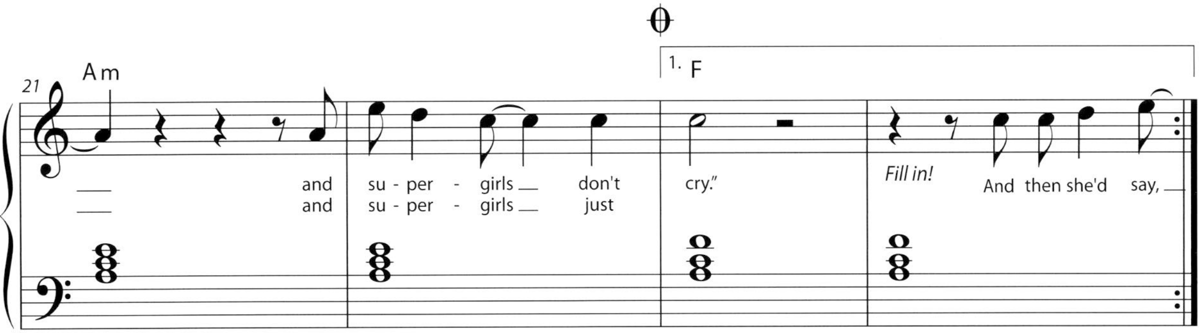

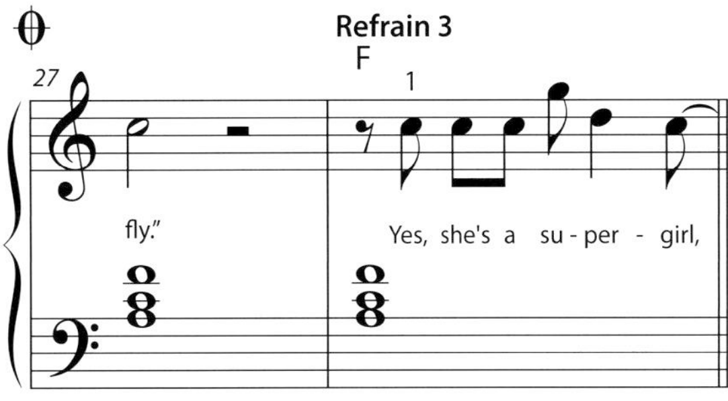

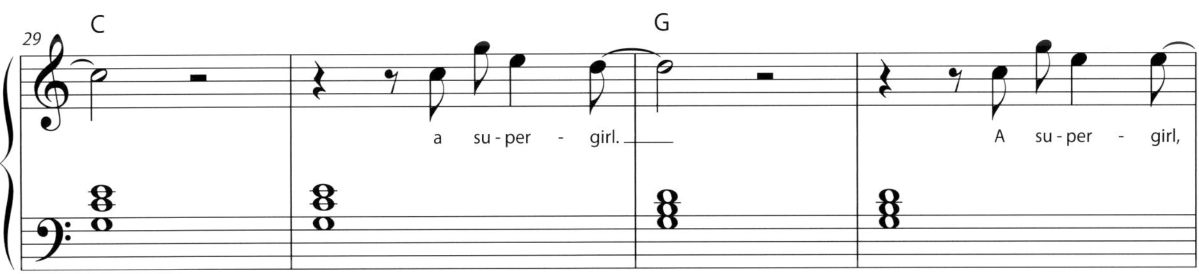

Refrain 2
And then she'd shout down the line
tell me she's got no more time.
'Cause she's a supergirl
and supergirls don't hide.

And then she'd scream in my face,
tell me to leave, leave this place
'Cause she's a supergirl
and supergirls just fly.

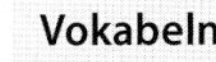

Vokabeln

to rule the world	*die Welt regieren*
chain	*Kette*
to get lost	*sich verirren*
to go wrong	*schief gehen*
to push fear further along	*Angst wegschieben*
to hide	*sich verstecken*
to shout	*schreien, rufen*
to scream	*schreien, rufen*
to leave	*verlassen*

Original

Klassenensemble

Refrains
17/29
C
G
Rock Organ
Leslie on
Dist. Git.
60s Git.
E-B.
Cbs.
Dr.
Refrains
E-Ac. Git.
21/33
Am
F
Leslie off

Klassenensemble

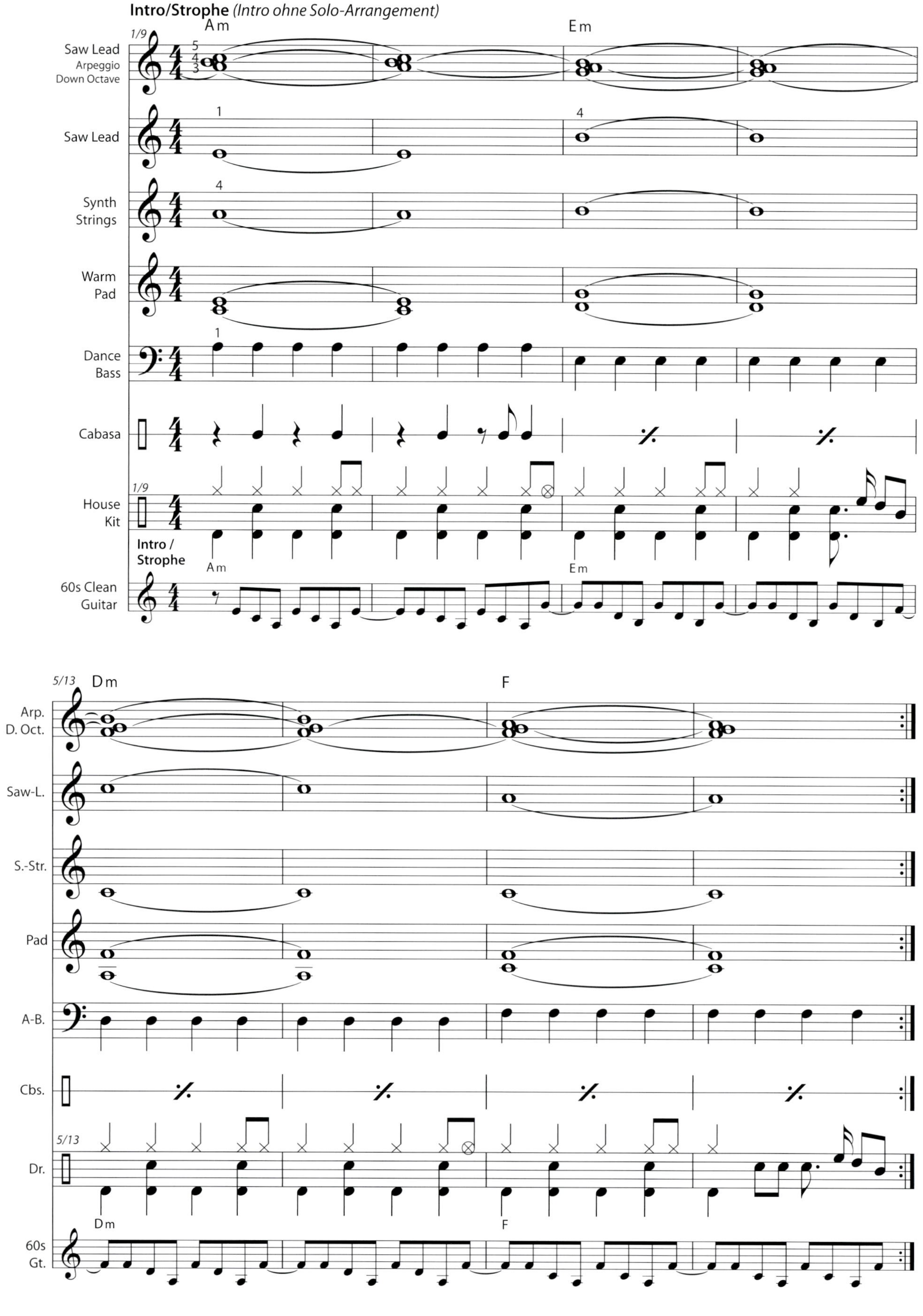

Intro/Strophe *(Intro ohne Solo-Arrangement)*

1/9 Am — Em

Saw Lead
Arpeggio
Down Octave

Saw Lead

Synth
Strings

Warm
Pad

Dance
Bass

Cabasa

House
Kit

Intro / Strophe

60s Clean
Guitar

Am — Em

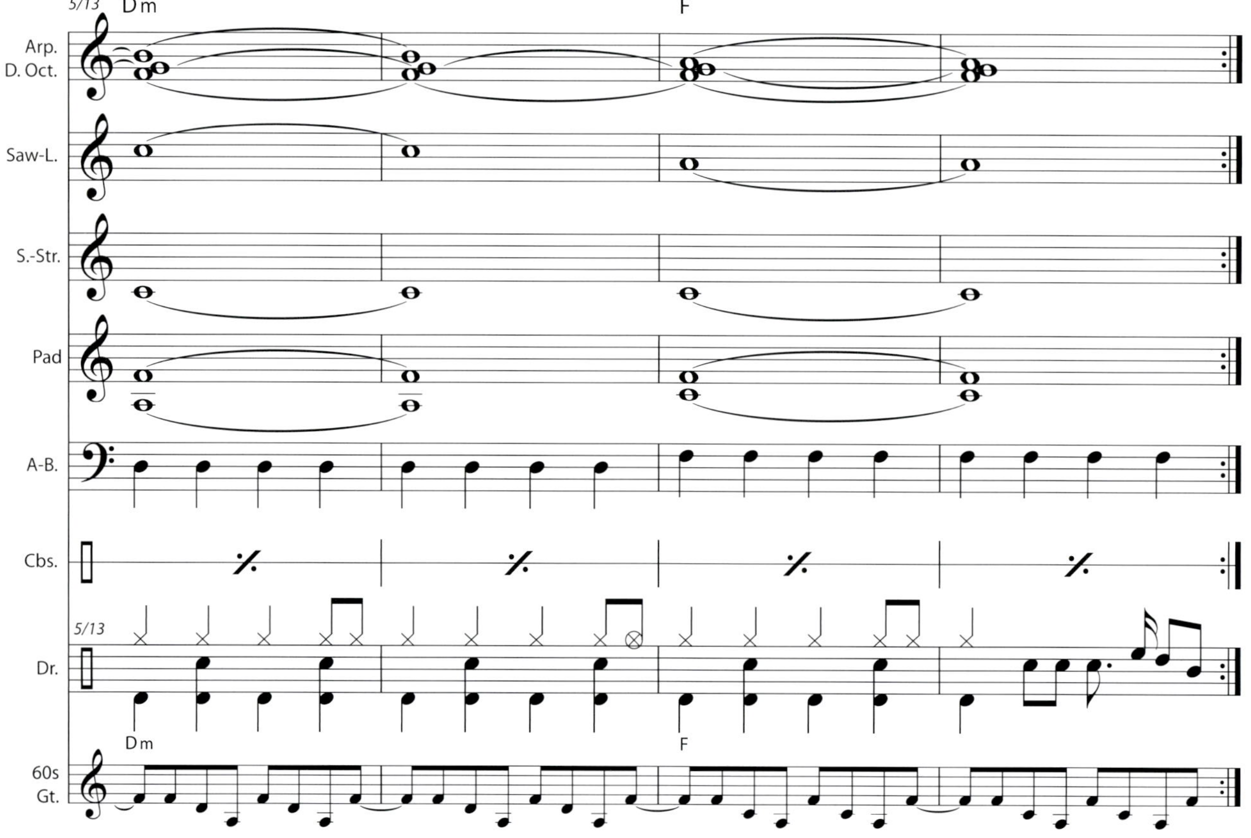

Refrains
17/29
C
G
Arp.
D. Oct.
Saw-L.
S.-Str.
Pad
A-B.
RH 5
1
LH
Cbs.
Dr.
60s
Gt.
21/33
Am
F

You Can Leave Your Hat On

Randy Newman

Solo: Style Play

1 *LH:* ACMP, opt. Finger Bass • *RH:* Octave Brass • *Style:* 8 Beat Rock • *Tempo:* ♩ = 88 • *Software:* User 008, Bank 5/6
2 *LH:* ACMP + Bright Piano • *RH:* Rock Organ
3 *LH:* ACMP + Bright Piano • *RH:* Octave Brass

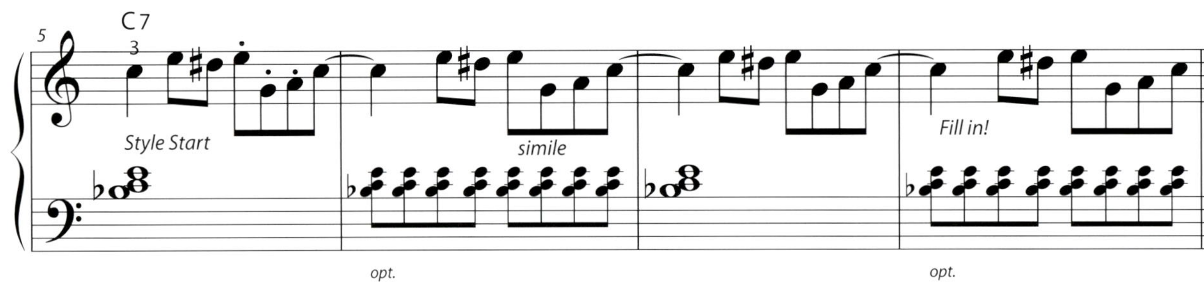

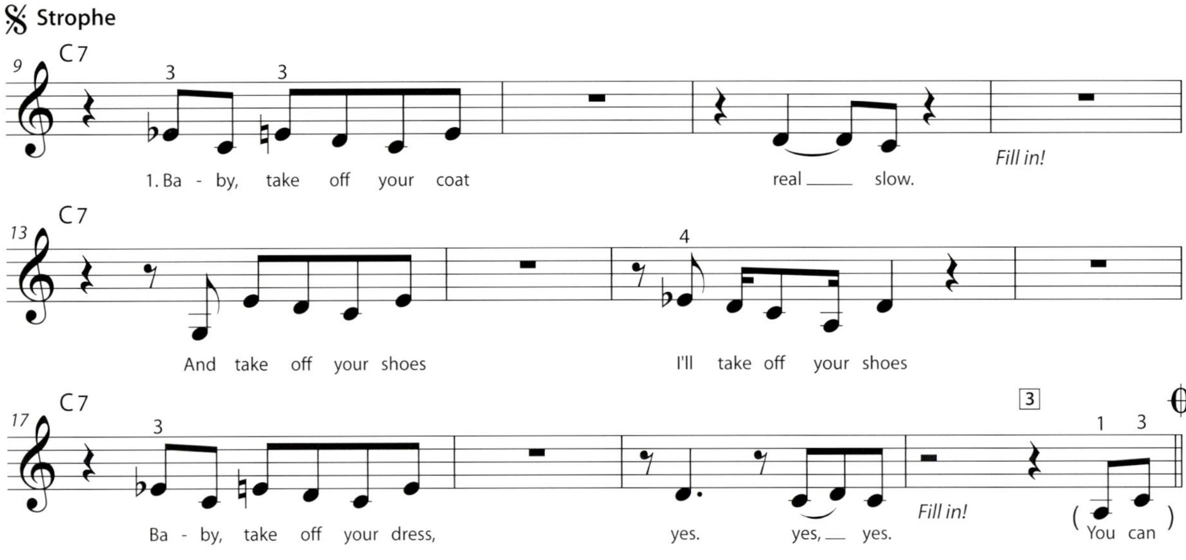

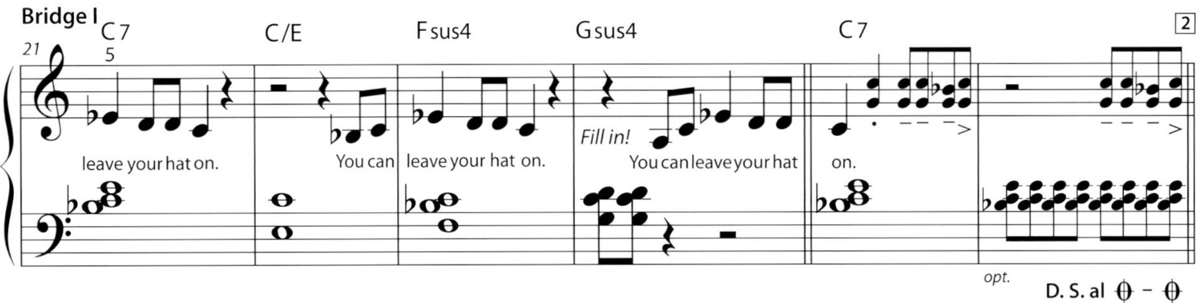

Vokabeln

to take off	*ausziehen*	suspicious	*misstrauisch*
to leave on	*anbehalten*	to tear apart	*auseinander reißen*

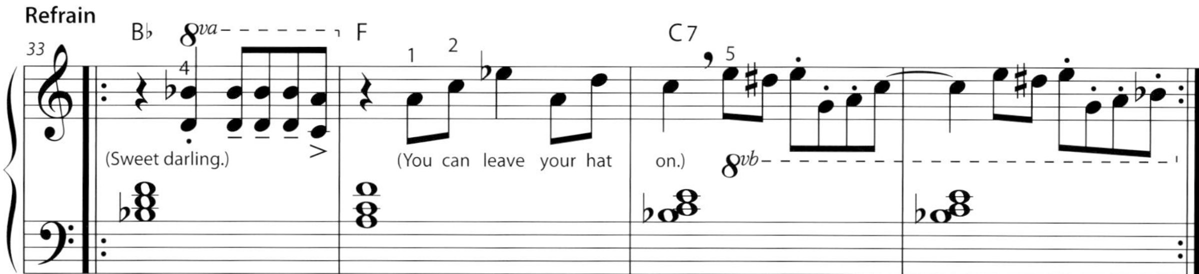

Repeat and fade out

Strophe
2. Go over there,
turn on the lights.
Hey, all the lights
come over here;
stand on that chair.
Yeah, that's right.
Raise your arms up in the air;
now shake 'em.

Bridge II
You give me reason to live...

Refrain
Sweet darling,
(you can leave your hat on.)
You can leave your hat on.
Baby. (You can leave your hat on.)
You can leave your hat on.
(You can leave your hat on.)

Refrain Solo

Strophe
3. Suspicious minds keep talking,
they're try'n to tear us apart.
They don't believe in this love of mine.
They don't know what love is (4X).
But I know what love is.

Refrain: Sweet darling, ...

Workshop: Akkord Fsus4

Ergänze die fehlenden Notennamen im ersten Takt und singe/spiele, auch mit anderen Akkorden im Wechsel.

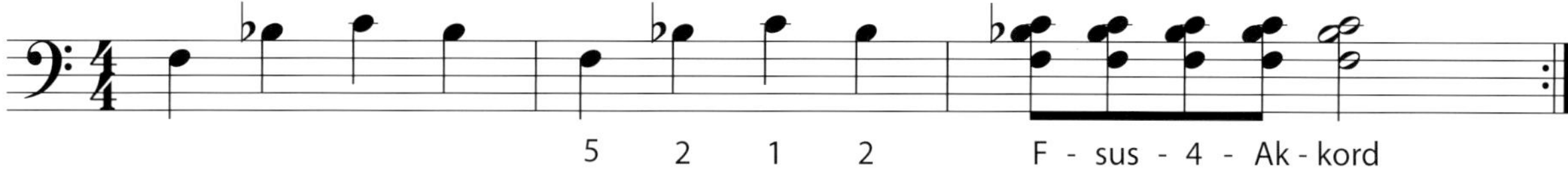

Workshop: 8va und 8vb (8va bassa)

Spiele und notiere die Refrain-Melodie in der zu spielenden Oktavlage.

Klassenensemble

Bridge I/II
21/27
C7
C7/E
Fsus4
Fsus4/G
C7
Brass
TSax
Trp.
E-Gt.
E-B.
Dr.
Bridge I/II
Pno.
1. time D.S.

Refrain
33
B♭
F
C7
Repeat and fade out
Brass
TSax
Trp.
E-Gt.
E-B.
Dr.
Refrain
Pno.
Repeat and fade out

Fields Of Gold

Gordon M. Sumner

Solo: Split Play

1 *LH:* Finger E-Bass • *RH:* RS Analog Pad (Soft Pad) • *Style:* Guitar Ballad (Modern Ballad) • *Tempo:* ♩ = 104 • *Software:* User 008, B. 7/8
2 *LH:* Finger E-Bass • *RH:* Classic Guitar + RS Analog Pad

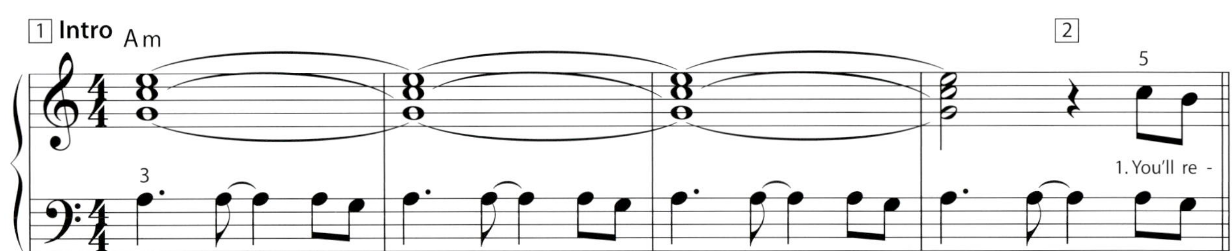

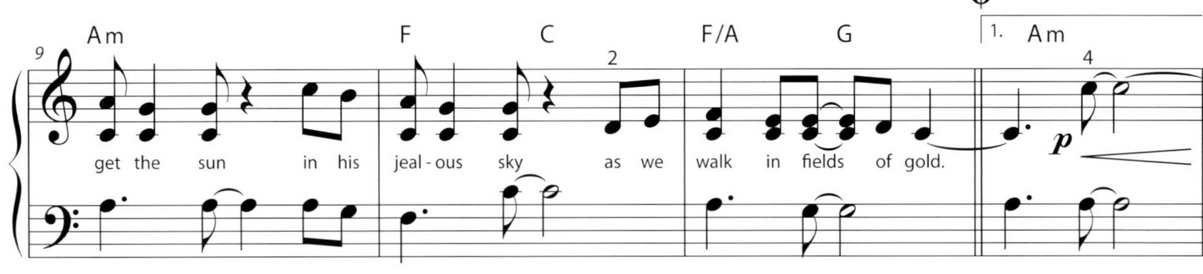

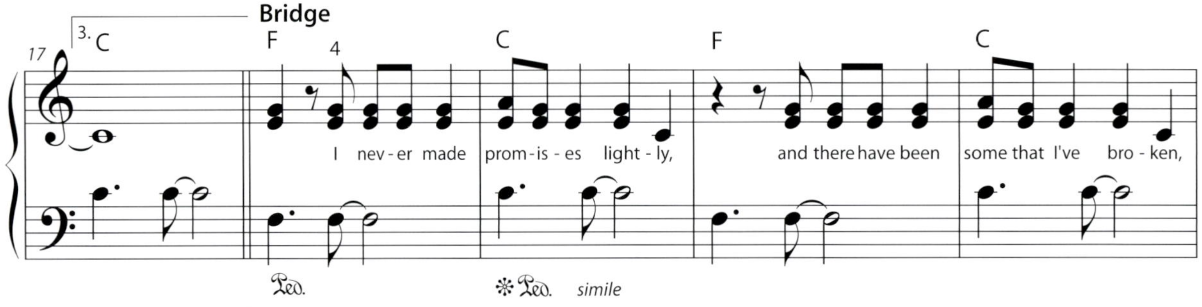

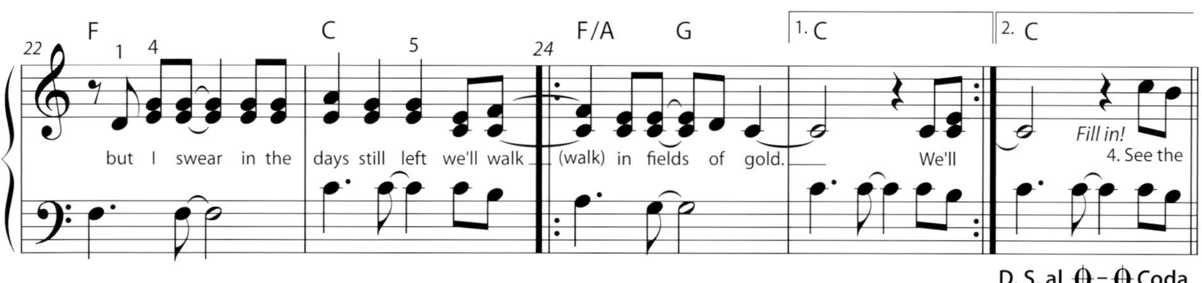

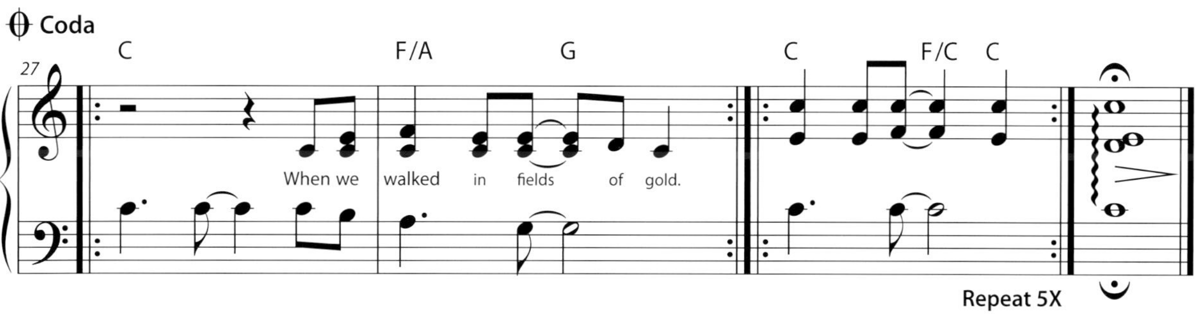

Strophen

2. So she took her love
for to gaze awhile
upon the fields of barley.
In his arms she fell
as her hair came down
among the fields of gold.

3. Will you stay with me,
will you be my love
among the fields of barley?
We'll forget the sun
in his jealous sky
as we lie in fields of gold.

4. See the west wind move
like a lover so
upon the fields of barley.
Feel her body rise
when you kiss her mouth
among the fields of gold.

Bridge

Strophen

5. Many years have passed
since those summer days
among the fields of barley.
See the children run
as the sun goes down
among the fields of gold.

6. You'll remember me
when the west wind moves
upon the fields of barley.
You can tell the sun in his jealous sky
when we walked in fields of gold.
When we walked in fields of gold.
When we walked in fields of gold.

Vokabeln

fields of barley	*Gerstenfelder*
to gaze	*betrachten*
jealous	*eifersüchtig*
to make promises lightly	*leichtfertige Versprechen machen*
to break a promise	*ein Versprechen brechen*

Klassenensemble

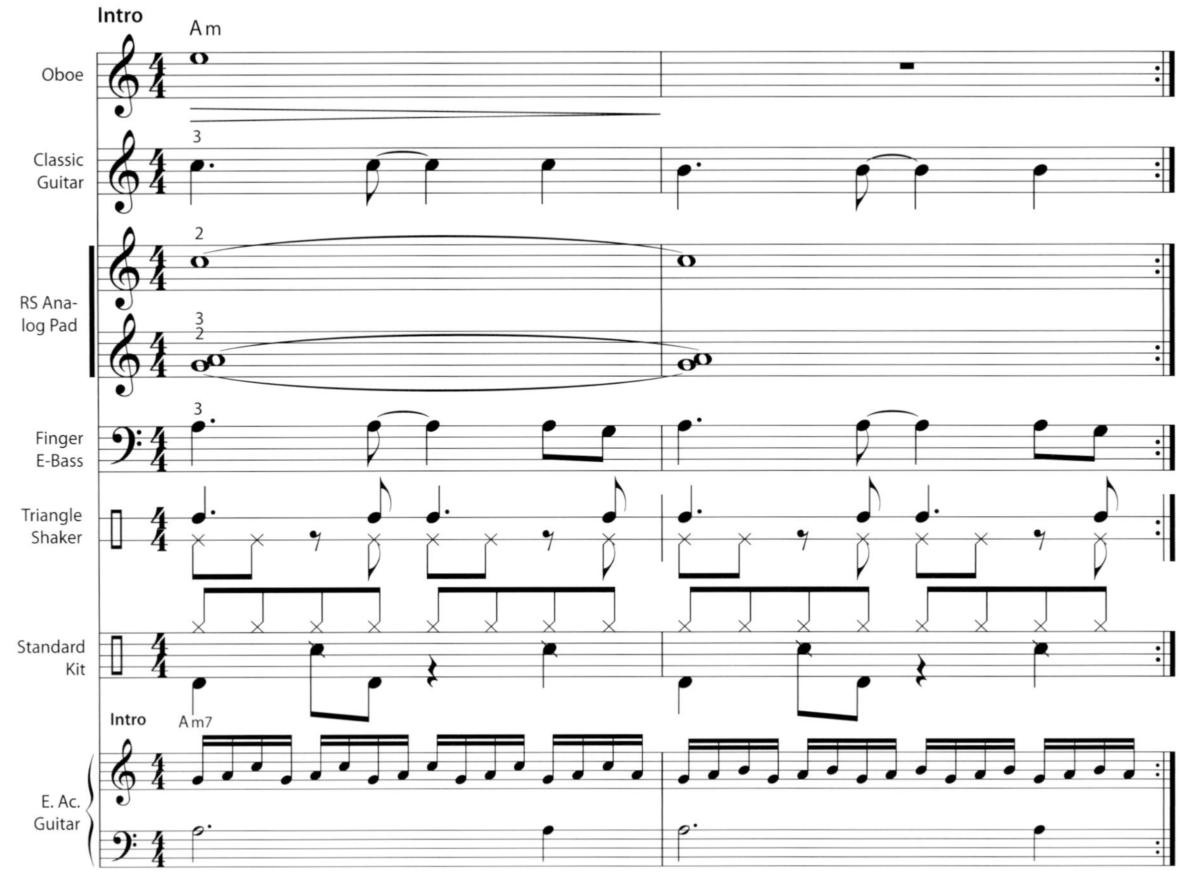

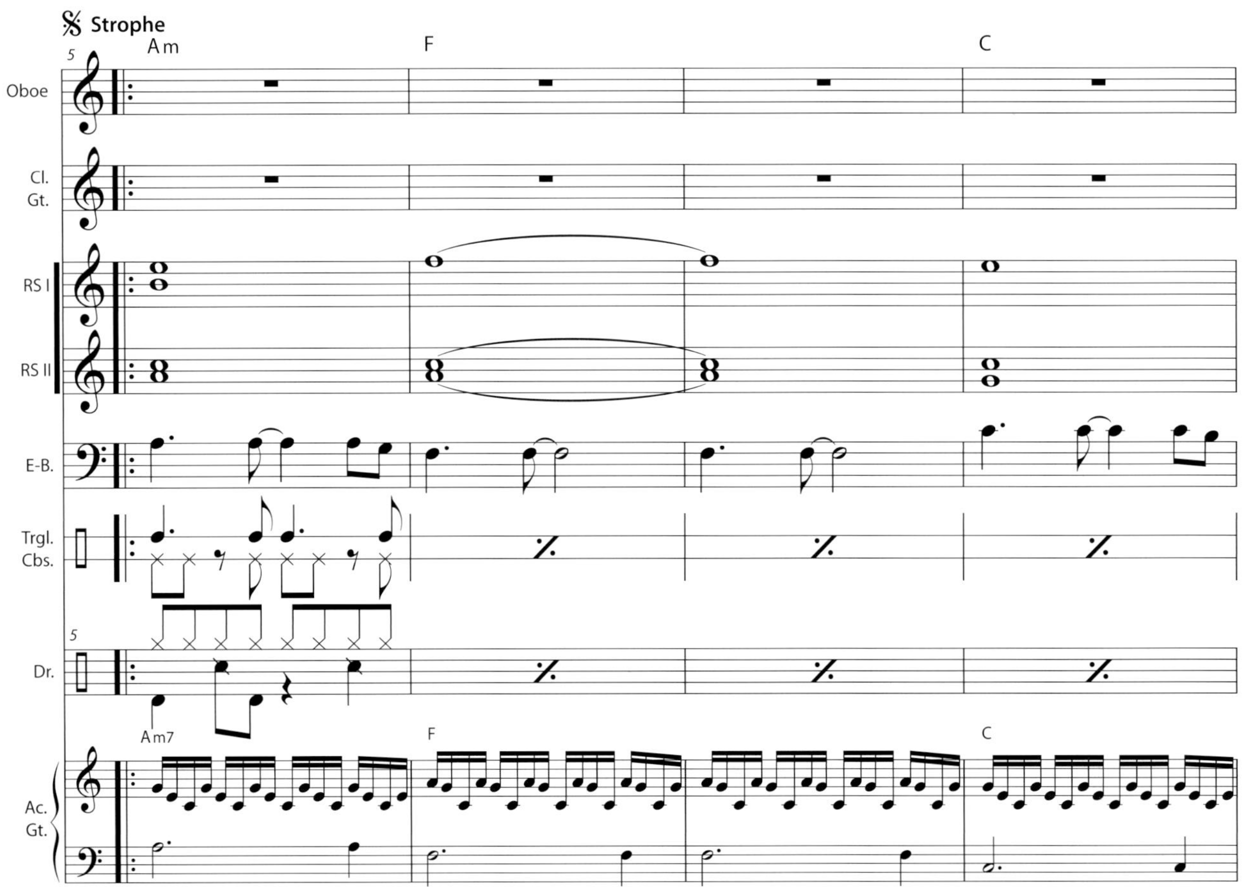

9
Am
F
C
F/A
G
1. Am
Oboe
Cl.
Gt.
RS I
RS II
E-B.
Trgl.
Cbs.
Dr.
Am7
F
C
F/A
G
1. Am7
Ac.
Gt.
13
Am
F
C
2./3. C
Oboe
Cl.
Gt.
RS I
RS II
E-B.
Trgl.
Cbs.
Dr.
Am
F
C
2./3. C
Ac.
Gt.

Bridge
F
C
F/A
G
C
Oboe
Cl. Gt.
Repeat 2X
D. S. al ⊕ – ⊕ Coda
RS I
RS II
E-B.
Trgl. Cbs.
Dr.
Ac. Gt.
⊕ Coda
C
F/A
G
C
F/C
C
Repeat 5X

Drums On Keys *Stagge / Sterzik*

33

Klassenensemble

LH/RH: Jazz Kit • *Tempo:* ♩ = 120 • *Software:* User 009, Bank 1/2

A
Toms
Drum-set

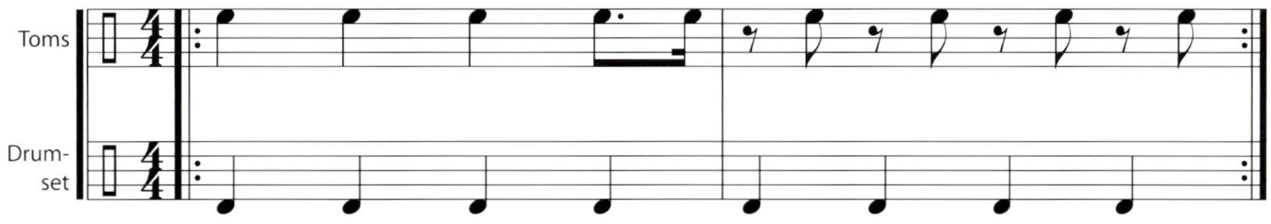

B
3
T.
Dr.

C
5
T.
Dr.

D
7
T.
Dr.

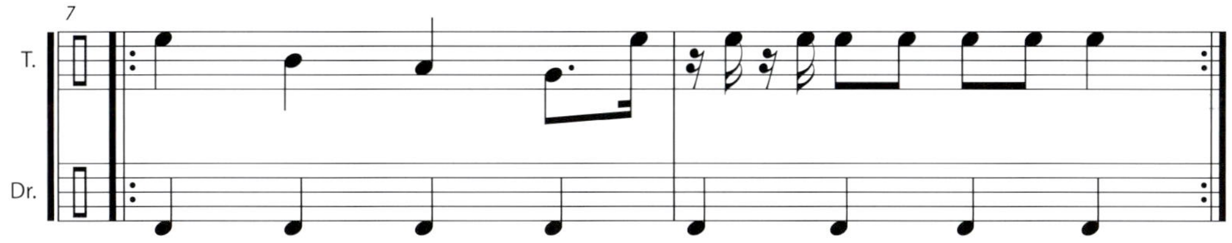

E
9
T.
Dr.

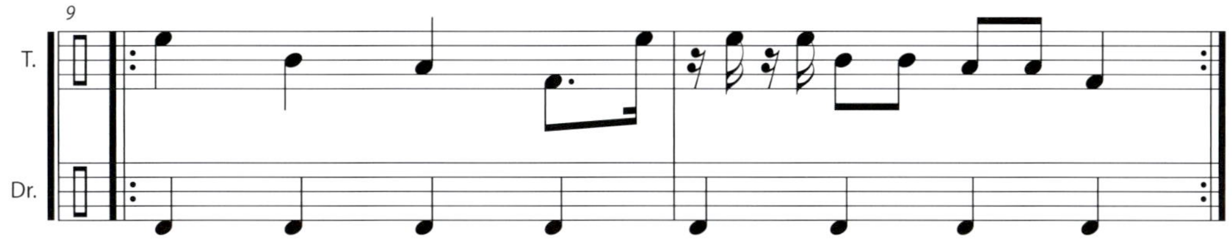

F
11
T.
Dr.

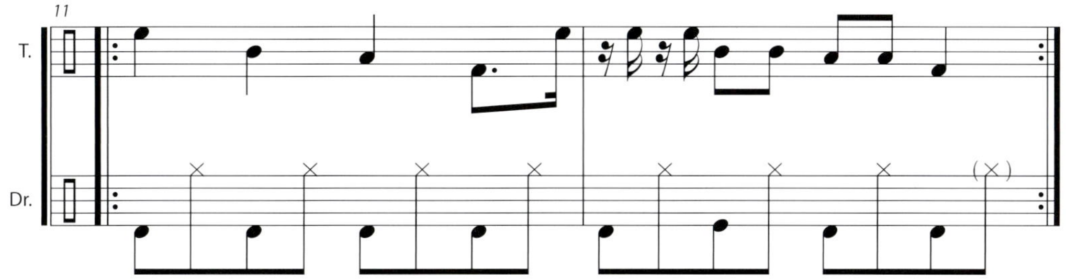

Raiders March Indiana Jones *John T. Williams*

34/65

Solo: Split Play

LH: Strings • *RH:* Trumpet + Trombone (French Horn) Section • *Style:* 6/8 March *oder* Custom Style • *Tempo:* ♩ = 126 • *Software:* User 009, B. 3/4

Alla Marcia

C

𝄋 **Thema I**

C | Dm/C | G7/C | C G7/C C

C | D♭ | Gsus4 | 1. | 2.

Thema II

B♭/C | C | B♭/C | C | B♭/C

A♭/C | C | F/C | B♭/C

Am/C
B♭/C
A♭/C
B♭/C
Am/C
B♭/C
A♭/C
B♭/C
A♭/C
Gm
Fm
C
D. S. al – Coda
Coda
Gsus4
C
B♭/C
C
B♭/C
C
A♭/C
B♭/D
C

Klassenensemble

Tempo: Alla Marcia ♩ =126

Fl.
Ob.
Cl.
Hrn.
Trp.
Trb.
Tmp.
Dr.
Hp.
Pno.
Gl.
Str. II
Cb.
Thema II: 1st time
only D.S.
C G7/C C
C
D♭
Gsus4
Strings
pizz.

Klassenensemble Seite 3/4

Fl.
Ob.
Cl.
Hrn.
Trp.
Trb.
Tmp.
Dr.
Hp.
Pno.
Str. I
Str. II
Cb.
mf
8va
C
F/C
B♭/C
Am/C
B♭/C

Fl.
Ob.
Cl.
Hrn.
Trp.
Trb.
Tmp.
Dr.
Hp.
Pno.
Str. I
Str. II
Cb.
A♭/C
B♭/C
A m/C
B♭/C
A♭/C

30
Fl.
Ob.
Cl.
Hrn.
Trp.
Trb.
Tmp.
Dr.
Hp.
8va
Pno.
B♭/C
A♭/C
Gm
Fm
C
Str. I
Glockenspiel
Str. II
Cb.
D. S. al 𝄌 – 𝄌 Coda

Coda
Fl.
Ob.
Cl.
Hrn.
Trp.
Trb.
Tmp.
Dr.
Hp.
Pno.
Gl.
Str. II
Cb.
8va
Gsus4
C
B♭/C
C
B♭/C
Strings
Glockenspiel
(pizz.)
arco
pizz.
arco
pizz.

42
Fl.
Ob.
Cl.
Hrn.
Trp.
Trb.
Tmp.
Dr.
Hp.
Pno.
Gl.
Str. II
Cb.
C
A♭/C
B♭/D
C
arco
pizz.
arco

Workshop: Keyboard-Percussion-Parcours 2

1. Trainiere mit der *Keyboard Percussion* die verschiedenen Rhythmen.

2. Spiele dann die Takte auch in deiner eigenen Reihenfolge. Deine Nachbarin, dein Nachbar oder deine Klasse hört genau hin und notiert, in welcher Reihenfolge die Takte zu hören waren.

A

B

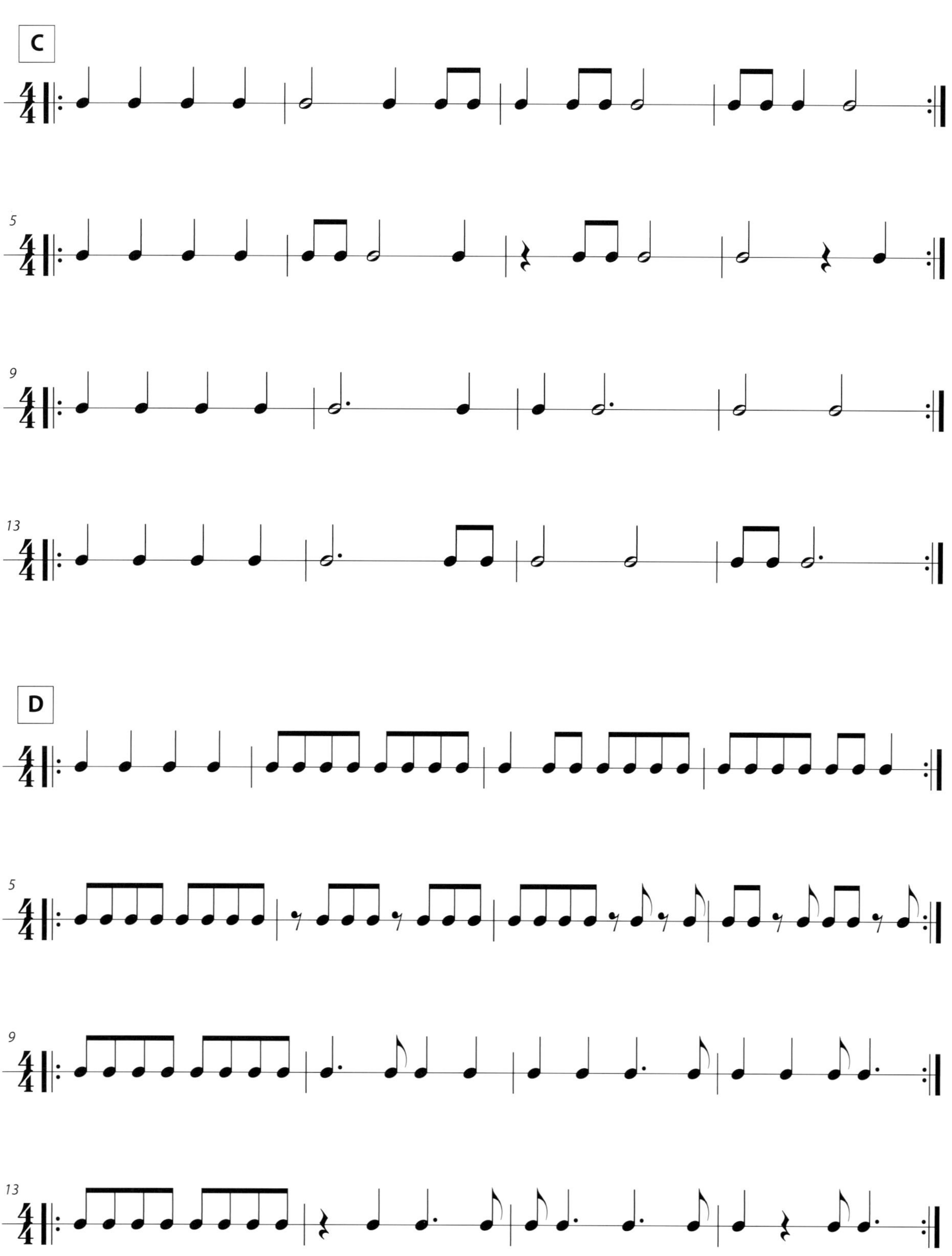
C
5
9
13
D
5
9
13

Keyboard-Percussion-Parcours 2 – Seite 3/4

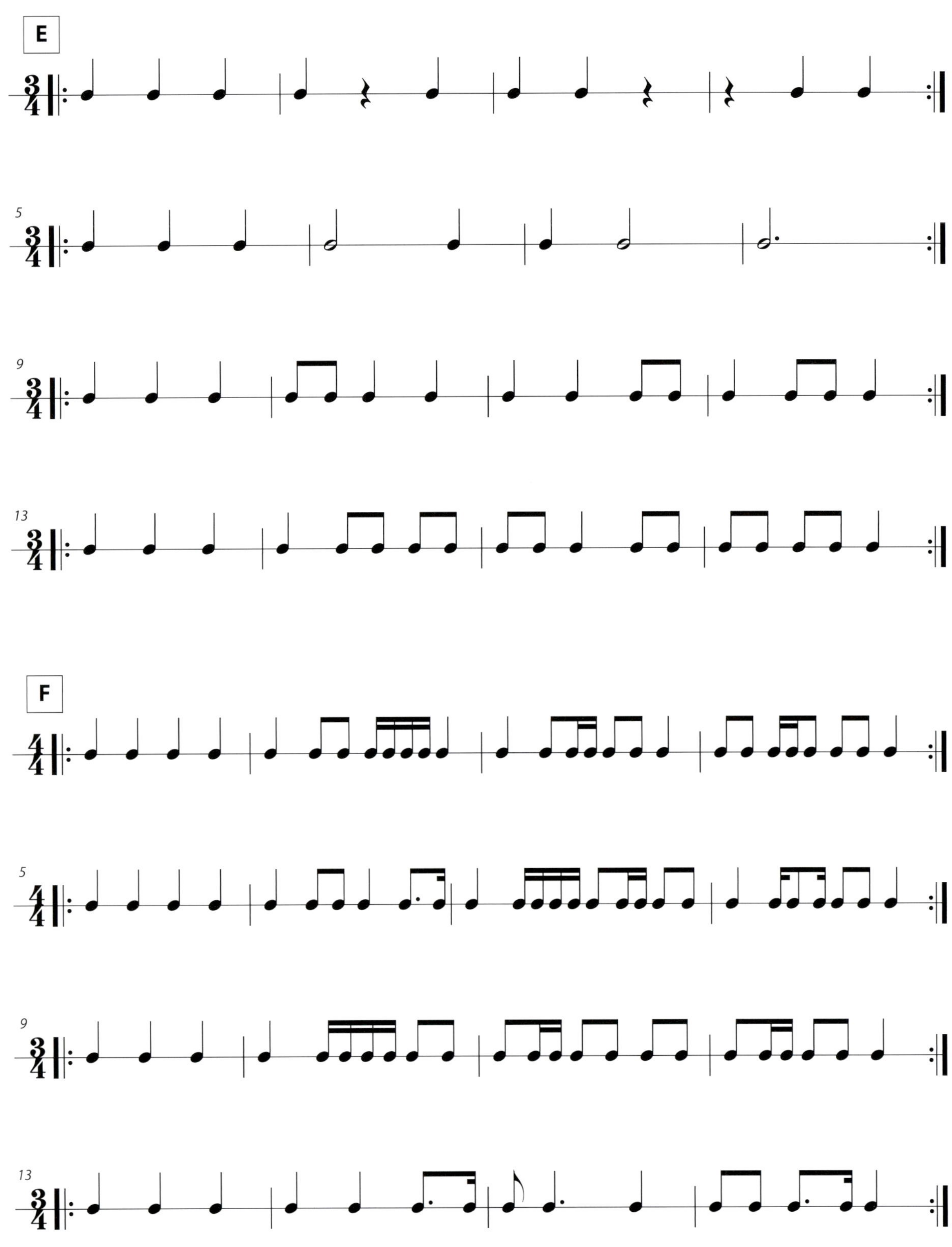

G
5
9
13
H
5
9
13
3

Music Theory Summit 2

Notennamen

Benenne folgende Noten mit Oktavbezeichnung.

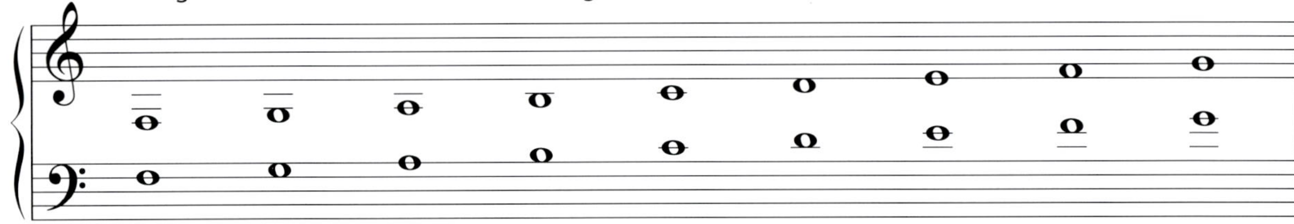

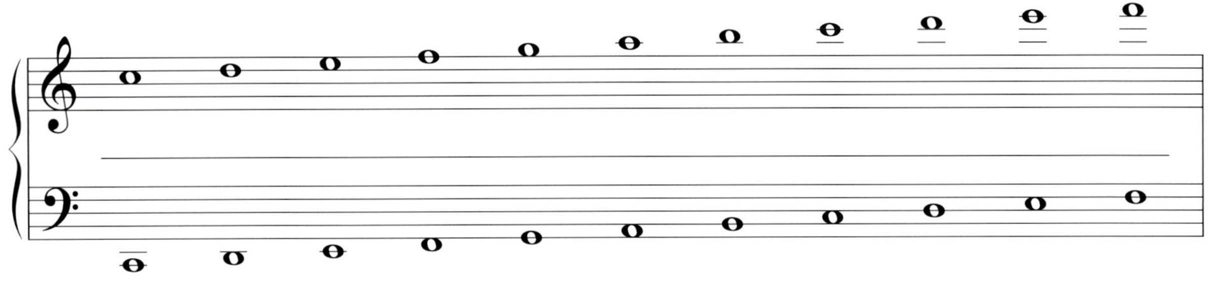

Notenwerte / Pausenwerte

Benenne die Noten- und Pausenwerte sowie deren Anzahl der Schläge im 4/4- bzw. 3/4-Takt.

Noten

Pausen

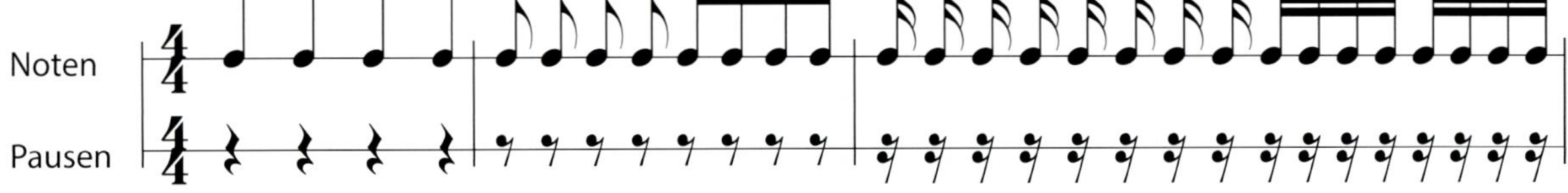

Name

Wert

Noten

Pausen

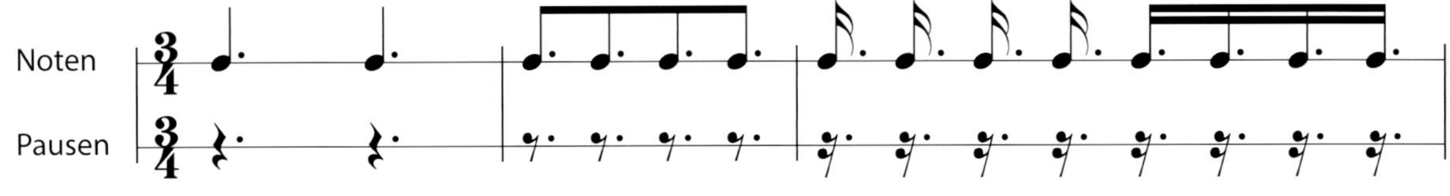

Name

Wert

Taktarten

Fülle die Takte mit Viertelnoten.

Notation und Zuordnung Keyboard Percussion

Notiere die Instrumente der *Keyboard Percussion* im Notensystem, vgl. Workshop auf Seite 13.

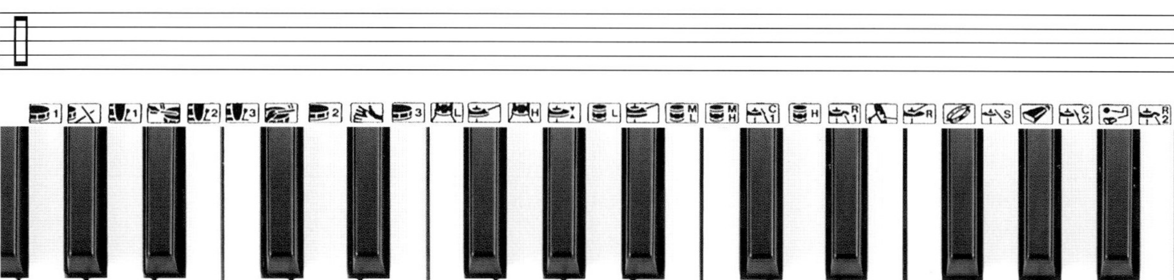

Intervalle

Spiele und benenne die Intervalle, vgl. Workshop auf Seite 27.

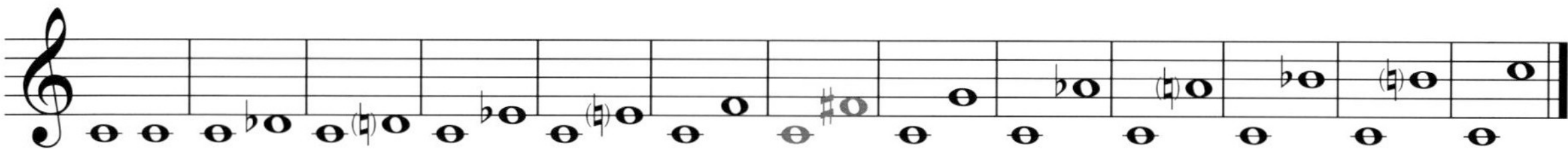

Tonarten / Tonleitern

Spiele, notiere und benenne folgende Tonleitern.

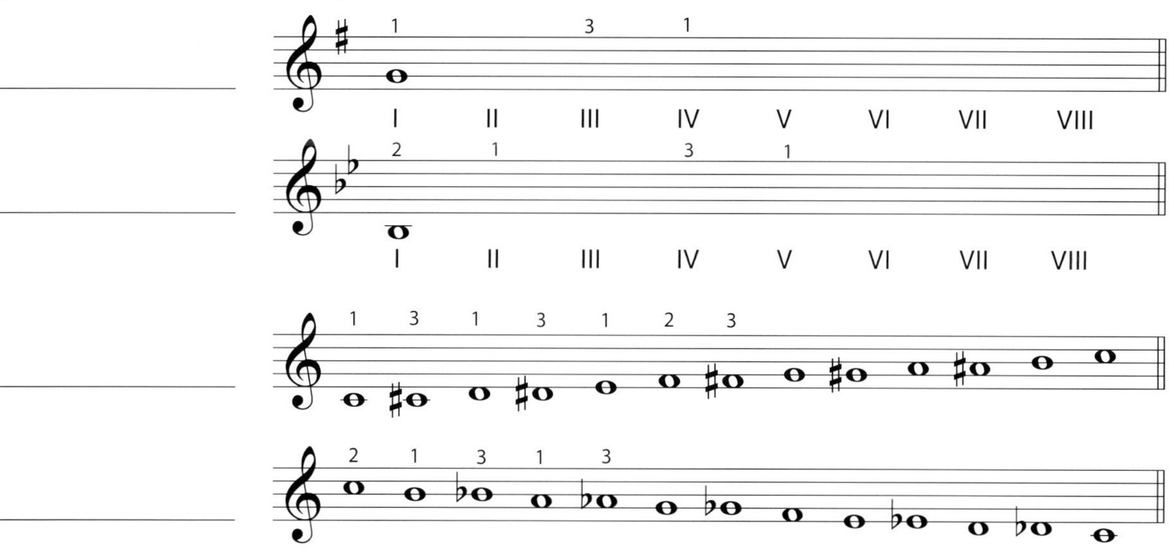

Akkorde

Spiele und benenne die folgenden Akkorde.

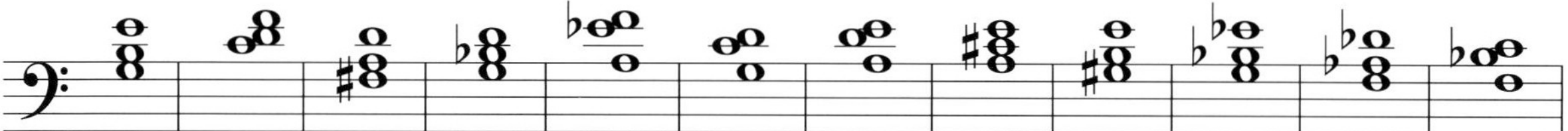

Dynamik

Ergänze die Dynamikbezeichnungen.

pp ... *ff*

Titelübersicht der Audioaufnahmen und Registrierungssoftware

In der **HELBLING Media-App** werden viele Stücke in zwei Versionen bereitgestellt. Die erste Version enthält die Melodie und sämtliche Stimmen des Klassenensembles; Wiederholungen oder zweite Strophen enthalten oft darüber hinausgehende musikalische Variationen. Um das Zusammenspiel zu ermöglichen, wurde bei der zweiten Version die Melodiestimme ausgeblendet. Die **Registrierungssoftware** wurde in zwei Versionen erstellt. Die jeweils erste Bank enthält die Registrierungen für das Klassenmusizieren (zwei Spielerinnen / Spieler an einem Instrument), die zweite Bank enthält die Einstellungen für das solistische Spiel zu Hause und im Instrumentalunterricht.